LUCY-FRANCE DUTREMBLE

Les jumelles Guindon

ROMAN

Guy Saint-Jean Éditeur
4490, rue Garand
Laval (Québec), Canada, H7N 5Z6
450 663-1777
info@saint-jeanediteur.com
saint-jeanediteur.com

• • • • • • • • • • •

Données de catalogage avant publication disponibles à Bibliothèque et Archives nationales du Québec et à Bibliothèque et Archives Canada

• • • • • • • • • • •

Nous reconnaissons l'aide financière du gouvernement du Canada par l'entremise du Fonds du livre du Canada (FLC) ainsi que celle de la SODEC pour nos activités d'édition. Nous remercions le Conseil des Arts du Canada de l'aide accordée à notre programme de publication.

SODEC
Québec

Conseil des Arts du Canada
Canada Council for the Arts

Gouvernement du Québec — Programme de crédit d'impôt pour l'édition de livres — Gestion SODEC

Publié initialement en mai 2013 chez Clermont Éditeur, inc.

Conception graphique de la couverture et mise en page : Olivier Lasser
Photo de la page couverture : depositphotos / Veneratio
Dépôt légal — Bibliothèque et Archives nationales du Québec, Bibliothèque et Archives Canada, 2018

ISBN: 978-2-89758-513-6
ISBN EPUB : 978-2-89758-514-3
ISBN PDF : 978-2-89758-515-0

Imprimé et relié au Canada
1re impression, mai 2018

Guy Saint-Jean Éditeur est membre de
l'Association nationale des éditeurs de livres (ANEL).

Au banquet de la vie, nous ne pouvons prendre
tout ce qui a été déposé sur la table ;
ce serait trop facile de croire que le parcours
d'une vie est basé sur tout ce qu'il y a
de plus beau et de plus alléchant.

CHAPITRE 1

Béatrice

Saint-Pie, juin 1966

— Bonjour madame ! Comment allez-vous, en cette belle journée ? lui demande l'inconnu qui s'avance vers la nouvelle résidente de Saint-Pie.

— Salut.

— Je vous dérange ? demande gentiment Pierre Côté, tandis qu'il manie le rotoculteur dans le petit espace ensoleillé où sera aménagé son potager.

Béatrice Guindon, 39 ans, ne fait pas plus de conciliabules que jadis lorsqu'elle demeurait chez ses parents Marie-Blanche et Eugène Guindon dans la municipalité de Saint-Célestin en Mauricie. Une femme ni belle ni laide, aux allures cavalières, affichant un regard rébarbatif sous un galurin de paille élargie d'où pendouillent quelques franges brunes sur son front ruisselant. Elle est vêtue d'une jupe de coton noire et d'un chandail rouge vin aux manches retournées, ce dernier dissimulé sous un grand tablier en jute noué d'une cordelette et retenu sur sa poitrine par deux épingles à chapeaux en strass, datant des années folles.

— Je suis Pierre Côté, dit-il en présentant la main, espérant que la jeune femme veuille bien accepter sa poignée de nouveau voisin.

— Ça m'en fait une belle jambe ! répond la trentenaire, sans daigner lui jeter un regard, en plongeant une guenille noircie dans le seau destiné à récurer les vitres souillées de sa maison de la rue Notre-Dame.

Lorsqu'elle s'apprête à lui tourner le dos, l'homme, choqué de l'impolitesse de la femme, reprend d'une voix insistante :

— Oups ! Je vois que vous n'avez pas beaucoup de jasette, madame, reprend son interlocuteur en épongeant son front ruisselant d'un vieux mouchoir de coton défraîchi.

— …

— Êtes-vous native de Saint-Pie ? interroge Pierre, lui faisant un léger sourire en espérant poursuivre la conversation.

— Pas pantoute… je viens de la Mauricie. Saint-Célestin, si vous voulez savoir… Vous ne devez pas me connaître, je viens juste d'emménager à Saint-Pie. Je n'y étais jamais venue auparavant. Et je me demande, si je retournerai pas dans mon patelin, tellement c'est morbide, ici.

— Ah bon ! Mais pourquoi avoir choisi cette habitation qui tombe en ruine, madame ? Il y a d'autres maisons en meilleur état que celle-ci ! Il y en a une à vendre sur la rue Bistodeau… je crois qu'elle a été construite en 1959. Vous pourriez vendre celle-ci pour vous installer plus confortablement. Vous allez passer votre vie à faire des réparations, ce qui vous amènera au fil du temps à ne plus aimer votre maison. Elle va vous avoir coûté bien cher, d'ici quelques années.

— Je ne l'ai pas acheté cette maison, c'est ma marraine qui me l'a léguée à sa mort. Puis, à part de ça, c'est quoi toutes ces questions ? Je trouve que vous êtes bien écornifleux ! On ne se connaît même pas puis vous n'arrêtez pas de me poser des questions ! C'est quoi l'affaire, coudon ? Laissez-moi tranquille, j'ai bien de l'ouvrage à faire, ici dehors. Je désire pas finir entre chien et loup, vous comprenez ?

— Désolé. Heu... je voulais seulement jaser avec vous en tant que « voisin ». Je désirais tout simplement vous souhaiter la bienvenue à Saint-Pie, est-ce mal ? Ici, dans notre petit village, tous les habitants sont gentils et s'entraident ; que ce soit pour rénover une galerie, un cabanon, restaurer un terrain ou refaire une toiture de maison.

Saint-Pie est un petit village du Québec, situé dans la municipalité régionale du comté des Maskoutains, dans le territoire administratif de la Montérégie dont les gentilés portent le nom de Saint-Piens et Saint-Piennes. Elle est reconnue pour son industrie du meuble et ses terres agricoles. Fréquemment, elle est surnommée *La capitale du meuble du Québec* et elle est assise au pied du mont Yamaska (montagne de Saint-Paul), le long de la rivière Noire.

— Comme ça, vous êtes la filleule de Rolland et Olivette Cusson ? Je les ai bien connus, vos parrains. Ils étaient bien gentils, vous savez. Un couple charmant qui aimait rendre service à tous les gens de la paroisse, beau temps mauvais temps, ils étaient toujours au-devant de leur prochain.

— Bien oui ! Pensez-vous que ça m'intéresse, tout ce que vous me dites là, vous là ? s'impatiente Béatrice Guindon en frottant un pain de savon *Bon Ami* sur un linge grisonnant. Olivette c'était la sœur de ma mère... Nolin, son nom de fille. Avant de partir, ma tante avait écrit une lettre à ma mère pour lui dire que son bercail me reviendrait à sa mort. Puis, c'est ça qui est arrivé, je viens de déménager dans sa maison. Même si elle est toute délabrée, elle ne coûte rien. Je serais bien folle de ne pas en profiter. Il y a de l'eau, de l'électricité, du gazon et elle est quand même bien située. C'est ça que je voulais, rester au centre-ville. Tout est à portée de main, ça fait que je n'ai pas grand couraillage à faire. Si leur maison avait été implantée dans un rang de campagne, je l'aurais mise en vente sur-le-champ.

En s'appuyant sur le manche de son râteau, Pierre se risque à poursuivre la conversation avec une douceur incomparable :

— Vos parrains étaient des gens dépareillés, madame. Dommage qu'ils soient décédés presque en même temps. Ils me manquent vraiment. Ils étaient comme mes seconds parents. Des gens aimables, avec le cœur sur la main, comme on dit, parfois.

— Vous les avez si bien connus ? Moi, je les connaissais à peine.

— Certain, que je les aie bien connus ! J'ai passé mon enfance auprès d'eux ! Votre tante Olivette avait un cœur tendre et votre oncle Rolland l'aimait sans bon sens ! Un homme si amoureux que la journée où il s'est présenté au salon mortuaire, en s'agenouillant sur le prie-Dieu pour regarder dormir votre marraine, il s'est effondré et ne s'est jamais relevé, le pauvre. La paroisse Saint-Pie fut bouleversée… Ils y étaient connus dans le coin comme des gens serviables et très croyants. Cela a fait un bien grand vide, sur la rue Notre-Dame. Tout le village était en deuil.

— Bien coudon ! Au moins, il y en avait qui s'aimait, dans notre famille. Mais vous n'ignorez pas comme moi que dans un couple, toute médaille a son envers comme on dit. Ils doivent avoir eu des hauts et des bas comme tout le monde, ce n'était pas des saints, quand même ! Personne n'échappe aux chicanes de couple. Des duos parfaits, ça n'existe pas, rétorque la trentenaire d'un regard malicieux, les mains apposées sur ses hanches délicates.

— Je n'en doute pas. Mais comme je connaissais bien vos parrains, c'est assuré que leurs âmes sont montées directement au paradis, sans même être interrogées par saint Pierre, à savoir s'ils auraient dû faire un tour au purgatoire pour exaucer leurs petits péchés avant de franchir la grande porte du Ciel.

— Ah ! C'est vous qui le dites. De toute façon, dans mon livre à moi, saint Pierre n'est pas à la porte du Ciel à ne rien faire… il sépare les saints des damnés.

— Vos parents sont décédés, madame ? demande à nouveau l'homme au regard d'un vert céladon et aux cheveux noirs foisonnants, venu s'installer tout près de Béatrice, cette dernière tenant un chiffon propre pour assécher les carreaux de la fenêtre.

— Pas t'encore... Puis quand ils sortiront de leur maison de Saint-Célestin les deux pieds devant, je ne veux pas que personne ne m'apprenne cette excellente nouvelle. Dans ma tête à moi, ils sont déjà morts ces deux-là. Ça fait deux semaines que j'ai transbahuté mes guenilles à Saint-Pie puis c'est écrit dans le ciel que je ne retournerai jamais dans mon patelin, même si je trouve cette ville bien plate. J'y ai laissé trop de mauvais souvenirs... C'est ici que je vais finir mes jours. De toute façon, ils ont laissé la ferme familiale, ils ne restent plus là. Ils sont déménagés en ville. Avec la petite chambre qu'ils m'offraient, j'aimais bien mieux déménager dans cette vieille maison, c'est pas mal plus grand même si ce n'est pas parfait.

Par contre, si Béatrice espère loger dans cette propriété si fragile, elle devra engager un homme à tout faire pour entreprendre de gros travaux de restauration, sinon elle sera obligée de partir à la recherche d'un nouveau domicile.

La maison des Cusson a été érigée en 1914 et n'a subi aucune réfection depuis 52 ans. Cette demeure fatiguée porte des couleurs sombres comme un gris noirci par les mauvais vents d'hiver et un blanc jauni par un soleil insistant. Une toiture de tôle bleu foncé jette son ombre sur la véranda parcourant l'entièreté de la fondation, cette grande galerie assise sur des blocs de ciment aux coins saccagés par l'usure. Par contre, l'intérieur est à en couper le souffle ! Les murs et plafonds ont conservé leur authenticité avec leurs lattes de pin naturel qui attendent d'être recouvertes d'un nouveau vernis. Aussi, le parquet étalé en larges planches de bois est imprégné de nœuds magnifiques.

Au rez-de-chaussée se trouvent un salon, une cuisine et une minuscule salle de bain dissimulée sous l'escalier. Cette dernière est pourvue d'un vieux cabinet et d'un simple lavabo considérablement usés. Dans la cuisine, des panneaux d'armoire en chêne repeints en vert et, malgré la restauration récente de la robinetterie, l'ancienne pompe à eau est restée ancrée sur le comptoir stratifié orangé. Le mobilier de la pièce est composé d'une table ronde en chêne accompagnée de quatre chaises imposantes aux pattes de lion. Le tout complété d'un bas de vaisselier en pin country et d'un bahut primitif aux vieilles couleurs blanchâtres, pourvu d'un tiroir et d'une porte striée. Une imposante cuisinière au gaz trône à côté du réfrigérateur modèle *Trophy* de marque *Roy* de 1950. Dans l'intime salon aux tentures de dentelle ivoire, une causeuse de style victorien est accompagnée d'une table centrale en noyer massif, soutenue de pattes cabrioles se terminant en pied de sabot. Un téléviseur poussiéreux coiffé « d'oreilles de lapin » a été déposé sur une bonnetière en érable décorée de lattes gris-bleu. À l'étage, il y a deux chambres à coucher et une salle de bain restreinte. La chambre de Béatrice est meublée d'un lit banal et à regarder la décrépitude du matelas, on peut deviner qu'il a été paillé comme jadis au XIXe siècle. Suspendu à la lucarne, un voile blanc laisse pénétrer des rayons dorés pour ranimer une désolante violette africaine flétrie reposant sur le rebord d'une étroite étagère. Une table de nuit en pin rouge d'origine accompagne fièrement un éminent coffre brun aux poignées en fonte placé au pied du lit, fermé à clef. La salle de bain aménagée à droite du palier ne comprend qu'un cabinet, une baignoire sur pattes arrondies et un modeste lavabo face à une dérisoire armoire encastrée, surmontée d'une glace fendillée.

— Est-ce que vous êtes au courant du grand malheur qui est arrivé ici à Saint-Pie en 1907, madame Guindon ? Une catastrophe épouvantable ! Un désastre émotionnel pour les habitants.

— Quoi ? Qu'est-ce qui s'est passé de si grave ?

— Une grosse débâcle ma petite dame... Tout a commencé en 1902 pour s'échelonner sur cinq ans.

— Ah ouin ? Comment ça ? insiste Béatrice, intéressée.

— Savez-vous où est situé le terrain vacant à l'autre bout de la rue Notre-Dame ?

— Bien certain, il y a une rivière devant. Je suis allée m'y baigner à quelques reprises.

— Exactement, elle se nomme la rivière Noire. En 1900, c'était le principal quartier du village de Saint-Pie.

— Eh bien ! s'exclame Béatrice en enlevant son chapeau de paille, collé à sa coiffure moite.

— La majorité des commerces étaient implantés là : hôtels, boutique de forge, moulin... L'église et les écoles se trouvaient en haut du village. Il y avait plusieurs rues dans le Bas-du-Village, en ce temps-là.

— Elles ont disparu, elles aussi ?

— Oh oui ! La rue du Pont, Dusseault, des Allonges, Cartier, de la Rivière...

— Comment connaissez-vous toute cette histoire ? Vous n'étiez même pas encore né dans ce temps-là !

Vous avez eu deux vies, coudon ?

— Ho ! Ho ! Vous avez raison... je suis né en 1926. Monsieur et madame Cusson, les parents de votre parrain l'avaient en mémoire eux... Votre oncle ne pouvait pas avoir souvenance de cette débâcle, il n'était pas de ce monde en 1902. Tout leur a été raconté par leurs parents. Si vous alliez faire un petit tour à la bibliothèque, vous y trouveriez des livres sur l'histoire de Saint-Pie. Ce serait une bonne chose de vous renseigner sur l'histoire du patrimoine... de tous ceux qui y ont vécu avant nous.

— Peut-être que j'irai, un de ces jours. Là, j'ai pas le temps pantoute de chercher dans les livres.

— Vous avez tout votre temps ! Il y avait un ruisseau, un étang, la Baie aux tortues, puis trois îles. C'est ce qui donnait tout un cachet à la rivière et les gens de l'époque le répétaient souvent.

— C'est désolant... bien de valeur pour ces pauvres gens.

— Oui, bien de valeur... À cause du défrichement des terres, les crues printanières ont bloqué les entrées du pont couvert pendant des jours, ce qui a changé complètement l'image du village. La rivière Noire s'est déchaînée le 3 mars 1902 ; puis le 29 mars 1905, une seconde débandade a emporté le pont de la Compagnie de Saint-Pie.

— Mon Dieu ! C'est épouvantable, ce que vous me dites là, vous ! s'écrie la femme en reculant, tout en apposant ses mains sur ses joues.

— Oui madame ! Le moulin Godefroy Grisé et d'autres demeures ont été détruits complètement. Ce fut le début de la fin du quartier. Pour comble de malheur, en 1907, il y a eu une troisième débâcle. Elle a fait disparaître le moulin Bouchard situé de l'autre côté de la rivière, le pont ferroviaire et le nouveau pont de la Compagnie de Saint-Pie qui avait été reconstruit à neuf, et d'autres maisons. C'est à ce moment que des maisons ont été déménagées dans le haut du village. Le 1er mai, le Conseil municipal a décidé de fermer les rues du Bas-du-Village où s'était développée la paroisse.

— Toute une histoire ! Il n'y aura plus jamais rien qui va se bâtir là ?

— Non madame ! Ce grand terrain est destiné à servir de deuxième lit à la rivière pour qu'elle y dépose ses gros morceaux de glace au printemps…, répond le nouveau voisin, à la tignasse sombre.

— Ils ont tout perdu, ces pauvres gens ?

— Oui… un déchirement total pour eux ! Est-ce que vous ensemencez un jardin cet été, madame ? Je pourrais vous donner des plants de tomates roses. J'en ai tant semé au printemps, ma cave ressemble à une serre, souffrance !

— Je ne dis pas non… Je viens juste de déménager dans mon giron puis les cannes de tabac que j'avais ramassées pour planter mes graines, elles sont vides, vous comprenez ? se plaint Béatrice en allumant une cigarette. Tous les printemps, je sème mes tomates et mes concombres. Je n'ai pas eu le temps pantoute avec les préparatifs de mon déménagement.

— Vous fumez ? remarque Pierre, surpris.

— Bien certain ! Vous ne fumez pas comme tout le monde, vous ?

— Oui, je fume des du Maurier.

— Moi, c'est des Export 'A'.

— J'ai remarqué le paquet vert... Vous avez la couenne dure... Elles sont fortes ces cigarettes-là ! Moi, j'aurais de la difficulté avec cette marque, sans bout filtre...

— Mais moi, quand j'ai envie d'une cigarette, je ne fume pas une cigarette de fifi...

— Attendez, vous... Vous me traitez...

— Si vous êtes une petite nature, ce n'est pas de ma faute, hein ? le nargue Béatrice, mi-sourire au coin des lèvres.

— Ho ! Ho ! Nous ne pouvons pas deviner le caractère d'une personne par la marque de cigarette qu'elle fume, quand même ! Ce serait trop facile, ne croyez-vous pas ?

— Ouin... Puis là, ça va faire la madame, OK ! Je m'appelle Béatrice Guindon : mademoiselle Béatrice Guindon.

— Oh ! D'accord... Vous n'avez jamais été mariée Béatrice ?

— J'ai dit « mademoiselle » Guindon... Êtes-vous sourd ?

— Oh ! Pardonnez-moi. Vous n'avez jamais été mariée, mademoiselle Béatrice ? interroge Pierre en laissant échapper de sa bouche un voile opaque qui montait déjà vers le ciel comme un serpentin.

— Est-ce que j'ai l'air d'une femme qui voudrait gâcher son existence auprès d'un homme, monsieur Côté ? S'unir par les liens du mariage, c'est juste de se mettre dans la misère ! On est bien mieux tout seul dans nos affaires. On a pas de comptes à rendre à personne. Croyez-moi : la vie est plus simple sans être toujours obligée de préparer les repas à midi et les soupers à cinq heures parce que monsieur veut manger à l'heure. C'est de l'esclavage, être mariée. Oui, de l'esclavage, monsieur ! Je ne comprends pas le monde. C'est comme s'attacher à l'autre pour s'empêcher de faire ce que l'on veut quand ça nous tente. La femme mariée reste pas dans une maison, elle reste en prison !

— Voyons, mademoiselle Guindon ! C'est parce que vous n'avez pas encore trouvé le bon parti... Puis vous êtes toute jeune ! Vous avez toute la vie devant vous !

— Oui, j'ai juste 39 ans. Mais je suis bien comme je vis, pas d'achalage ! Jamais qu'un homme ne va m'amener au pied de l'autel ! J'ai trop regardé mes parents se tirailler. Jamais ! Puis vous, je ne vois pas votre femme dans les parages ? constate Béatrice en jetant un œil vers la cour arrière de son voisin. Elle est partie faire ses commissions ?

— Francine est décédée depuis déjà 15 ans, avoue Pierre en baissant la tête, en signe d'affliction.

— Pauvre vous ! Vous ne l'avez pas eue facile ! De quoi est-elle morte ?

— Elle a été victime d'une méningite. Elle avait juste 27 ans. Le bon Dieu est venu la chercher beaucoup trop jeune. Les enfants avaient encore trop besoin d'elle, elle est partie bien trop vite... C'est comme si la terre avait arrêté de tourner. Nous l'avons cherchée des mois durant, dans la maison...

— Hon ! Vous avez combien d'enfants ?

— Trois... deux garçons et une fille : Pierre junior, Paul et Pierrette, tous mariés !

— Mon Dieu ! Vous n'aviez pas un grand répertoire de noms dans votre caboche quand ils sont nés, ces enfants-là ! se moque Béatrice, en le toisant de son regard moqueur. C'est quasiment tous des noms pareils. Cela ne vous aurait pas tenté de changer le « P », pour faire différent ? Y a pas juste des prénoms qui commencent par « P » sur la terre !

— Ho ! Ho ! C'est ma chère femme qui tenait à ce qu'ils portent tous la première lettre de mon prénom. Je trouvais que c'était une idée particulière. Oui... j'aimais son idée.

— Bien coudon ! constate Béatrice en s'éloignant pour aller nettoyer les carreaux de fenêtre sur la façade de sa maison. Je vais laver les fenêtres d'en avant asteure. Salut.

— Vous partez déjà ? remarque Pierre, déçu.

— Je n'ai pas le choix si je veux finir mon récurage ! J'ai de l'ouvrage, vous savez ! Je n'ai pas juste ça à faire que de parler avec vous ! On s'est présentés et c'est bien correct comme ça. Asteure, je vais continuer mon travail, si vous voulez bien.

— Je pourrais vous donner un coup de main ? J'ai terminé de retourner ma terre dans mon jardin, lui offre le nouveau voisin en la talonnant, après avoir apposé son râteau sur la porte de la clôture dissociant les deux terrains.

— Non, merci. Je suis assez grande pour voir à mes besognes. Vous voyez la barrière qui sépare nos deux terrains, à votre droite ?

— Oui ? répond Pierre en regardant la claire-voie mitoyenne située à quelques pieds de lui.

— C'est cela... elle n'est pas là pour rien, hein ! Ça veut dire : tes bebelles... puis dans ta cour !

— Ho ! Ho ! Je sens que nous allons bien nous entendre tous les deux. Vous me faites bien rire, vous êtes charmante !

— Vous pouvez toujours continuer à sentir monsieur Côté, c'est juste ça qui va vous passer en dessous du nez, « rien », parce que moi je ne suis pas une voisineuse, vous comprenez ? J'ai été élevée sur une terre, puis nos voisins étaient bien loin de notre ferme. On ne parlait presque jamais à personne dans notre rang. De toute façon, on aurait pas pu, mon père était un sauvage de la pire espèce. Il était pas parlable. Cela fait que l'on ne visitait pas souvent l'entourage. J'espère que vous avez compris mon message.

— D'accord ! Alors, je vous souhaite un bel après-midi, « mademoiselle » Guindon, lâche Pierre, déçu en s'en retournant chez lui.

— C'est ça... à vous aussi une bonne fin de journée. Salut.

Pierre se retourne et ose lui demander :

— Une dernière question, si vous me permettez ?

— Ah ! Vous êtes quasiment achalant, vous ! Posez-la, votre question, qu'on en finisse.

— Vous avez des frères et sœurs qui demeurent toujours en Mauricie ?

— J'ai une sœur, ma jumelle.

— Ah oui ? Comment se prénomme-t-elle ?

— Violette... puis si ça ne tenait qu'à moi, si j'avais

pu parler à ma naissance j'aurais imploré mes parents de l'appeler « pimbêche » parce que le nom de Violette ne lui va pas pantoute !

— Pourquoi donc ?

— Ça va faire les questions, le voisin ! Je ne peux pas vous parler d'elle parce que je vais m'enrager. On ne peut pas se sentir, ça fait 39 ans ! Ce n'est pas aujourd'hui qu'on va se coller ensemble comme dans le temps qu'on était dans le ventre de notre mère. C'est une péteuse de broue ma sœur… Une vraie… j'aime mieux me retenir parce que si je babille d'elle, je vais filer mal toute la journée, saint citron ! Je ne reste plus dans la même ville qu'elle et c'est très bien ainsi. On n'aurait jamais dû naître dans la même maison, nous deux.

— Pourtant, on dit des jumelles qu'elles sont indissociables !

— Pas nous deux ! On n'a aucune affinité ni aucune complicité, saint citron !

— C'est dommage… Oui, bien dommage.

CHAPITRE 2

Violette

Dimanche 17 juillet 1966

Sur le parvis de l'église Saint-Pie de la rue Notre-Dame, tous les fidèles paroissiens se sont rassemblés en attendant de franchir le seuil du lieu saint pour entendre le prône du prélat de la circonscription ecclésiastique de Saint-Pie, Georges-Édouard Brosseau, accompagné de son vicaire, Roland Bibeau.

Dix heures

Installé à l'arrière de l'édifice religieux, Pierre Côté toise les ouailles du curé Brosseau qui entrent à la queue leu leu dans le sanctuaire en humectant leurs doigts dans l'eau miraculeuse du bénitier. Sous la surveillance de leurs parents, de jeunes enfants sont déjà près de l'autel en train de glisser des sous noirs dans la petite fente de la statuette de l'ange qui incline la tête en guise de remerciement à chaque offrande reçue.

Pierre porte un costume gris pâle et une chemise blanche. Contrairement aux jours de semaine, le dimanche, sa tignasse noire est coiffée à la perfection et sa barbe rasée de près lui donne une allure plus jeune. Vu qu'il ne peut conserver son chapeau dans le culte chrétien, il est de rigueur d'avoir une belle tête pour la liturgie du jour du Seigneur.

L'ébauche de la construction de l'église Saint-Pie remonte au début des années 1830. Le père Crevier avait constaté qu'il était inéluctable d'ériger des côtés adjacents à sa petite chapelle vu que les familles de la paroisse proliféraient à vue d'œil. Le 30 septembre 1854, assisté de Michel Godard, vicaire de Saint-Césaire, le prélat satisfait, bénissait le sanctuaire. Une église de style gothique où au sol, la forme de l'église est une croix latine.

L'abbaye est bondée et une chaleur écrasante gêne les fidèles agenouillés sur les prie-Dieu. À la droite de Pierre Côté, dans le banc adjacent, on peut voir les doyens de la municipalité, Edgar et Florentine Thibodeau, tenant dans la main le livre *Prions en Église* qu'ils agitent de gauche à droite devant leur visage humecté de gouttelettes translucides. Et tout près, ses voisins de la rue Notre-Dame, les Roy, qui viennent tout juste de le saluer, sont en train de parcourir le feuillet paroissial. Aussi, une dame vêtue de ses plus beaux atours coiffe un canotier lilas à rebord léger et porte une ravissante robe de cotonnade d'un blanc immaculé. « Wow ! Quelle belle femme ! » s'exclame Pierre, qui ne cesse de la toiser avec insistance.

À la sortie de l'église, sous un ciel voilé, il devance quelques paroissiens pour se rendre près de cette déesse libérant une fragrance de lavande.

— Bonjour madame... Souffrance ! Je ne vous avais pas reconnue, mademoiselle Guindon ! Vous êtes vraiment ravissante, ce matin ! s'écrie Pierre, dans le but d'admirer la silhouette de la dame, méconnaissable.

— Ah bonjour ! Est-ce que nous avons déjà eu l'occasion de nous rencontrer, monsieur ? Votre visage m'est étranger...

— Voyons ! Je suis votre voisin de la rue Notre-Dame ! Nous avons jasé dans votre cour arrière il y a de cela trois semaines ! Vous ne vous en souvenez pas ? Vous étiez en train de laver les fenêtres de votre maison.

— Oh ! Hi ! Je comprends maintenant... Vous voulez me dire que vous avez fait un brin de causette avec ma jumelle Béatrice ? Moi, c'est Violette Guindon. Je demeure sur la rue Roy.

— Je suis renversé ! confie ce dernier en ébouriffant sa chevelure noire.

— Pourquoi ? Quel est votre nom, monsieur ?

— Pierre Côté, mademoiselle Guindon... le voisin de votre sœur Béatrice.

— Ah bon ! Je suis enchantée, monsieur Côté, répond la charmante dame, en lui présentant une main drapée d'un gant satiné.

— C'est hallucinant !

— Qu'est-ce qui est si hallucinant, monsieur Côté ?

— Vous êtes deux sœurs identiques, par contre...

— Ne soyez pas mal à l'aise, monsieur, le rassure Violette en faisant un sourire enjôleur. Nous nous ressemblons beaucoup en effet, sauf que Béatrice est un tantinet rebelle et ne court pas les boutiques pour se procurer de nouveaux vêtements tendance, ou de nouveaux parfums.

— Rebelle, vous dites ? Malgré le respect que je lui dois, j'irais plus pour le mot « sauvageonne ». Elle est un peu dure d'approche, vous comprenez ? J'ai eu toutes les misères à l'approcher pour me présenter à elle. Malgré ma ténacité, elle me repoussait tout le temps.

— Hi ! Hi ! Ma sœur n'est pas méchante pour autant... Dommage qu'elle ait coupé tous les liens dès notre prime jeunesse à Saint-Célestin où nous aurions pu nous amuser et jouir d'une enfance heureuse en s'aimant comme tous les petits enfants de la terre le font.

— Que s'est-il passé pour que vous ne vous adressiez plus la parole ? Des jumelles sont inséparables, non ? demande Pierre qui soutenait le bras de Violette, en descendant les marches du parvis de l'église.

— En effet, j'en suis consciente, monsieur Côté, mais... ma jeune sœur comme on dit... je dis ma jeune sœur, car elle est venue au monde après moi...

— Vous êtes donc l'aînée ?

— De si peu, cher monsieur ! Seulement six minutes. Pourtant, j'ai toujours été présente pour elle, pour l'aider et la comprendre, malheureusement, elle n'a jamais accepté de me côtoyer comme une « vraie sœur ». Nous étions comme deux étrangères, et rien de tout cela n'a changé depuis.

— Mais, que faites-vous à Saint-Pie ? Vous voulez prendre le risque de lui faire une visite sur la rue Notre-Dame, bientôt ? Ce serait le moment idéal pour faire la paix, non ?

— Oh non ! Jamais ! J'ai loué une petite maison sur la rue Roy tout près d'ici et je ne tiens pas du tout à la rencontrer. Tout est terminé entre nous !

— Dommage… Je connais la rue Roy. Elle est située à l'angle de Notre-Dame… Mais, pourquoi Saint-Pie, alors que la terre est si vaste ?

— Pour vivre dans la béatitude… Même si on ne se voit plus… seulement le réconfort d'être près d'elle me donne l'envie d'exister, vous comprenez ? Nous avons coupé tous les ponts, mais nous sommes nées de la même mère et du même père… Je crois que même si je ne désire pas la revoir, il y a comme un aimant de collé sur mon cœur et ça m'apaise.

— Je vous comprends… Je pourrais lui glisser un petit mot pour lui apprendre que vous êtes venue vous installer dans la paroisse ? Peut-être ira-t-elle vous rendre visite, un de ces jours ?

— Ce n'est pas nécessaire monsieur Côté… Béatrice m'a reniée avant même que nous ne sortions du sein de notre mère. Alors, sans être impolie, je vous demanderais de vous occuper…

— … de mes oignons ? dit-il en souriant.

— Désolé, monsieur Côté, ce qui s'est passé autrefois à Saint-Célestin ne regarde que ma jumelle et moi. C'est triste…

— Mais dans un si petit village comme Saint-Pie, vous allez sûrement vous croiser un jour, non ? Que ce soit à l'église ou dans les magasins ou bien chez le coiffeur…

— Oh non ! Je ne compte pas là-dessus, monsieur ! Quant aux boutiques, Béatrice s'est toujours habillée sobrement. Par contre, elle est si minutieuse quand elle lessive ses vêtements que lorsqu'elle les porte malgré qu'ils datent du temps de Mathusalem, on croirait qu'elle vient tout juste de les déballer d'un papier de soie, tellement ils sont impeccablement conservés. En tout cas, c'était comme cela à la maison de Saint-Célestin... Pour la croiser chez la coiffeuse... il n'y a aucune chance. Elle coupe et coiffe ses cheveux elle-même depuis son jeune âge.

— Eh bien ! À l'épicerie, alors ?

— Ah peut-être ! Mais je ne le souhaite pas vraiment. Elle deviendrait mauvaise, je crois. Je désire sentir sa présence près de moi, oui ; mais je n'aspire aucunement à la rencontrer sur ma route.

— Que s'est-il passé de si horrible, mademoiselle Violette ? demande Pierre, en lui offrant une cigarette.

— Non merci, je ne fume pas. Écoutez, je vous trouve vraiment sympathique, Pierre... même séduisant ; mais les faits révolus de notre jeunesse nous appartiennent. Si vous voulez bien, nous allons les laisser dormir. Je crois que c'est mieux ainsi. Il y a tant d'autres sujets de conversation agréables sur lesquels échanger, sans que nous parlions de ma sœur.

— J'ai saisi le sens de vos paroles, mademoiselle. Je vous souhaite une excellente journée... qui sait ? Peut-être nous croiserons-nous la semaine prochaine ? suggère discrètement Pierre, en lui offrant à nouveau le bras, avant de la quitter.

— Ah ! Ce serait avec grand plaisir ! Pourquoi ne ferions-nous pas un petit brin de causette devant un bon café, monsieur Côté ?

— Si j'ai bien compris, vous m'invitez chez vous dimanche prochain ?

— Mais non, mais non ! Nous pourrions nous rendre au restaurant après la messe si vous voulez, pour siroter ce café.

— Bien sûr ! approuva l'homme fier comme un paon.

— Une ultime recommandation, monsieur Côté, reprend la courtisane au regard cristallin.

— Oui, mademoiselle Guindon ?

— Ne dévoilez pas à ma sœur Béatrice que j'ai emménagé ici à Saint-Pie, OK ? Jamais !

— Ne craignez rien, je ne lui soufflerai pas un mot de notre rencontre. Est-ce que vous avez ensemencé un petit jardinet sur la rue Roy ?

— Pourquoi est-ce important de savoir si je possède un jardin ? l'interroge Violette, d'un ton agréable.

— Seulement pour m'informer, mademoiselle…

— Hi ! Hi ! Si j'avais voulu un potager pour m'occuper de mes tomates et mes concombres, je n'irais pas me les procurer au marché.

— Ho ! Ho ! Dimanche prochain, je vous apporterai des tomates roses de mon potager.

— Hum ! Une délicieuse salade avec des fruits frais.

— Des fruits ?

— Une tomate s'avère être un fruit, monsieur Côté !

— Hein ? Depuis quand ?

— Mais oui, voyons ! s'exclame la femme surprise. Lorsque vient le temps de cuisiner mon ketchup aux fruits, j'y incorpore des pommes, des pêches et des tomates !

— Eh bien ! Quand j'ai aidé votre sœur Béatrice à mettre en terre les plants de tomates dont je lui ai fait don, elle ne m'a pas glissé que la tomate est un fruit !

— Quand nous restions sur la ferme de mes vieux, en Mauricie, Béatrice était considérée comme une fermière née. Moi j'étais plutôt du genre « fille de la ville ». Ma jumelle a cultivé la terre du rang Pellerin jusqu'au temps que nos parents la vendent. Moi, je travaillais dans une buanderie à temps partiel au centre-ville. Je crois bien qu'elle n'a jamais été informée que la tomate est un fruit.

— Vous voulez dire... que vous êtes demeurée chez vos parents jusqu'au temps de venir vous installer ici à Saint-Pie ?

— Nos parents avaient besoin de nous, monsieur Côté. Notre père était draveur sur la Saint-Maurice. Nous avions un champ de culture, des vaches laitières, une porcherie, des moutons, des oiseaux de basse-cour et des chevaux à nous occuper. Il y avait beaucoup de travail pour Béatrice et ma mère, monsieur Côté !

— Votre père n'a tout de même pas enjambé les billots de bois jusqu'à 60 ans ? s'écrie Pierre en se déplaçant sur le trottoir bétonné, pour laisser le passage à un couple d'aînés.

— Il n'a pas eu le choix de s'arrêter lorsqu'un accident est survenu dans les années 40. Au printemps dernier, ils ont pris la décision de vendre la terre agricole pour s'acheter un petit bungalow dans le centre-ville de Saint-Célestin, sur la rue Marquis. Donc, ils ont pris congé de Béatrice qui s'activait tous les jours sur le pacage.

— Et vous ?

— J'étais devenue comme on dit « assez dégourdie » pour vivre en ville toute seule, hi ! Hi ! rétorque en souriant gentiment la jolie femme au teint de pêche et aux lèvres colorées de *gloss* corail.

— C'est un fait. Vous souhaitez travailler dans le coin ?

— Je l'espère ! Je vais visiter cette petite paroisse pour me trouver un emploi dès le printemps prochain. Pour l'instant, je possède l'argent pour payer le loyer de ma maison.

— Et votre père, que lui est-il arrivé de si grave ?

— Là, je ne dis plus rien... Je ne désirais pas vous raconter mon passé et voilà que je viens de vous dévoiler un chapitre de ma vie. Je vous souhaite un agréable dimanche, malgré ce ciel couvert et ces petits oiseaux qui ont commencé à gazouiller leur triste sérénade.

— Quelle sérénade ? s'informe Pierre, en levant les yeux vers les feuillus d'où l'écho des passereaux se distingue à répétition.

— Leurs chants ne sont pas aussi mélodieux que lorsqu'ils s'expriment sous un soleil doré. Présentement, ils nous informent qu'il va pleuvoir. Même, nous annonceraient-ils un vilain orage et de forts vents mauvais ?

— Vous me paraissez une femme bien romantique, mademoiselle Guindon, glisse Pierre en la laissant passer devant lui, en guise de politesse.

— En effet... romanesque et...

— Oui ?

— Alors, je prends congé et pas un mot à ma sœur Béatrice au sujet de notre rencontre. Elle m'arracherait les yeux si elle découvrait que je l'ai suivie jusqu'ici à Saint-Pie.

CHAPITRE 3

Une sortie pour mademoiselle Guindon

Fin octobre

Les végétaux perdent leurs feuillages cuivrés. Le sol transi les héberge pour se caparaçonner et ainsi se protéger des vents frisquets de l'automne.

Le temps est venu de cueillir les ultimes légumes des potagers : les courges, dont les citrouilles et les potirons. Vêtue d'une veste de lainage chamoisé, de bottes de caoutchouc à la hauteur des genoux et d'un béret noir, Béatrice est sortie tôt pour enlever les plantes inutiles de son jardin. Dans la cour adjacente, Pierre Côté paille ses plates-bandes et entoure ses arbustes d'une petite clôture de broche verte pour les préserver des intempéries de la saison hivernale. Le ciel expose ses imposants nuages gris, en espérant les regarder éclore et s'éparpiller en de gros flocons blancs sur le sol engourdi depuis quelques semaines.

— Bonjour mademoiselle Guindon ! Comment vous portez-vous, aujourd'hui ?

— Ah ! Salut Pierre. Je vais bien.

— Ça fait un bout que je ne vous ai vue. Est-ce que vous étiez souffrante, dimanche ? Je vous ai cherchée partout dans l'église.

— Tiens ! Vous m'espionnez, asteure ? Vous n'avez pas autre chose à faire que de surveiller vos voisins, vous ?

— Je ne vous surveille pas ! se défend l'homme mal à l'aise, tandis qu'il sort son paquet de cigarettes de la poche de sa chemise à carreaux bleue.

— Je ne vais jamais à la messe. C'est une perte de temps, vous saurez. Moi pis le bon Dieu n'avons pas de grandes affinités.

— Mais pourquoi ?

— Mon Dieu ! Est-ce que je commets un péché mortel si je ne vais pas à l'église écouter le curé dire ses sermons qui ne servent à rien pantoute ?

— Mais non ! Vous avez le droit de faire l'école buissonnière. La messe du dimanche est une tradition, mais pas une obligation, même si le père Brosseau note lorsque ses paroissiens sont absents.

— Le curé ne peut pas savoir si j'y suis ou pas. Depuis mon arrivée à Saint-Pie, je n'ai pas assisté à aucune messe. Je prie en masse chez moi, chaque soir. Je n'ai pas besoin de me répéter comme un perroquet à l'église Saint-Pie le dimanche matin.

— Ah bon ! C'est que vous rendre à l'église vous ferait une petite sortie. Je ne vous vois pas non plus à l'épicerie ou au resto.

— Vous fréquentez les restaurants, vous ? Vous avez du temps à perdre, puis de l'argent à gaspiller !

— Un café en zieutant le journal n'a jamais fait de mal à personne, se défend Pierre Côté en prenant garde de ne pas dévoiler ses rendez-vous clandestins avec Violette.

— Moi, je n'ai pas besoin d'aller lire *La Presse* au restaurant : j'écoute les nouvelles tous les jours à la télévision.

— Cela change le mal de place, une petite sortie.

— Vous changez le mal de place pour l'amener ailleurs. Ce n'est pas mieux ! Moi, je suis bien dans ma maison. Je ne vous vois pas plus quand je suis dehors ? Vous n'êtes jamais chez vous, saint citron !

— Je suis au boulot en semaine, mademoiselle Guindon. Il faut bien que je gagne ma vie !

— Vous travaillez où ?

— Chez Olier Grisé et Fils.

— Tu parles d'un nom, toi ! Qu'est-ce que vous faites comme ouvrage chez ce Olier Grisé ?

— Je suis meunier. L'usine fabrique des grains et de la moulée pour le bétail comme les vaches laitières et les bœufs de boucherie. Et depuis 1959, elle s'est agrandie et pratique l'élevage des porcs.

— Où elle est cette meunerie ?

— Sur la rue Martin.

— Puis Olier Grisé, c'est un bon patron ?

— Oh ! Monsieur Grisé est décédé en 1959, c'est son fils Jean-Paul qui a pris la relève de cette belle entreprise. Il est gentil et prend soin de ses employés, ce qui est rare dans certaines autres entreprises.

— Ah bon ! Elle est ouverte depuis quand, cette meunerie ?

— Depuis 1917 ! Avant, monsieur Grisé était tenancier d'un magasin général. Il a décidé de se lancer dans le commerce des grains et des moulées. Donc, il a commencé son business dans un moulin juste en face de son établissement et, en 1935, la meunerie est devenue Moulin rouge. Puis, en 1946, il a vendu son entreprise pour s'occuper de son usine à plein temps avec son fils Jacques.

— Vous radotez, monsieur Côté, vous avez dit Jean-Paul avant…

— Oui, mais Jacques est décédé en 1957.

— Ah ! Bien coudon !

— Un samedi, je peux vous faire visiter ? Cela vous ferait une petite sortie ?

— Peut-être… En attendant, je dois terminer de débroussailler ce jardin… La neige va commencer à tomber bientôt.

— Et si je vous conviais à souper ce soir ? J'ai un pot-au-feu au four.

— Hein ? Pourquoi ?

— Mademoiselle Guindon, ne vous inquiétez pas… Je vous invite en tant qu'ami, la rassure Pierre, le regard moqueur.

— Je ne sais pas si je devrais… Il me semble que ce serait déplacé de me présenter chez vous pour un souper.

— Acceptez donc, mademoiselle Guindon. Nous siroterons une petite coupe de vin rouge avec ce repas.

— Vous voulez me faire boire en plus ? Vous êtes bien tous pareils, les hommes !

— Je ne vous oblige pas à prendre de l'alcool, voyons ! C'est que j'ai ouvert une bouteille pour en mettre une rasade dans mon pot-au-feu. Si vous n'aimez pas le vin, j'ai d'autres breuvages.

— OK, c'est correct ! Moi je fournis les carrés aux dattes que j'ai faits hier après-midi.

— Vous n'avez pas cuisiné mon dessert préféré, vous là ?

— Ha ! Ha ! C'est celui que j'aime le plus aussi. J'adore les carrés aux dattes et le gâteau renversé aux ananas. Un bon jour, je vais vous en faire un. Je mets des cerises dans les trous des tranches d'ananas, puis je les fais dorer dans la poêle avec du sirop d'érable avant de les mettre dans mon plat en pyrex avec la pâte à gâteau, c'est pas mal bon.

***

La maison de Pierre au toit ocre et aux murs tapissés de lierres possède une façade respectable et, dans le ciel ténébreux, la cheminée de pierres laisse valser une fumée blanchâtre. Depuis le décès de sa conjointe Francine et le départ de ses trois enfants, Pierre Côté a appris malgré lui à apprivoiser son statut de célibataire. Son fils aîné, Pierre junior, 22 ans, réside à Saint-Hyacinthe avec son épouse Murielle Casavan, et son autre garçon Paul, 21 ans s'est exilé à Amos en Abitibi-Témiscamingue. Il travaille comme barman au Château Inn sur l'avenue Authier, où il y a rencontré la femme de sa vie, Léonie Labrie. En ce qui concerne la cadette, Pierrette, 19 ans, elle s'est mariée en mai dernier avec Marc-André Houde. Ils demeurent sur la rue Principale à Saint-Dominique, petite municipalité en Montérégie située à dix kilomètres de la ville de Saint-Pie.

À cinq heures précises, Béatrice pose ses panards sur le paillasson de la demeure de son voisin en replaçant sa coiffure d'un geste machinal. Elle toque deux petits coups à la porte et Pierre lui ouvre immédiatement, le regard souriant.

— Bonjour mademoiselle Guindon ! Entrez ! Vous êtes ponctuelle !

— Je n'aime pas qu'on me fasse attendre, ça fait que je ne fais pas attendre les autres.

— Que d'élégance ! la flatte Pierre, la couvrant d'un regard admiratif, alors qu'il examine soigneusement sa tenue vestimentaire.

— Vous trouvez ? demande Béatrice, les joues écarlates.

— Oui, très jolie ! C'est différent que de vous voir travailler dans votre cour arrière, dans votre jardin ou vos rocailles...

— Je n'étais pas pour venir souper avec ma vieille jupe noire, puis mon chapeau de paille, saint citron ! J'aurais eu l'air d'une habitante ! J'ai pas juste du vieux linge déchiré, vous savez.

Béatrice avait pris soin de coiffer sa chevelure brune et d'apposer une ligne rose sur ses lèvres finement dessinées. Elle porte une jolie robe sarcelle dépassée, mais très élégante, qui lui alloue une féminité évidente.

— Ça sent donc bien bon, ici ! Hum... On dirait que je suis invitée comme une grande dame... ça me fait tout drôle, en dedans.

— Vous trouvez ? Si vous voulez passer dans mon modeste salon, je vous verse un léger apéritif.

— Ah ouin ! Je n'ai pas l'habitude de prendre de la boisson forte avant de manger.

— Juste un petit verre de Cinzano, c'est tout doux dans la bouche.

— C'est quoi ?

— Un vermouth... Je vais vous le servir avec un glaçon et un zeste de citron, vous verrez, c'est délicieux comme liqueur.

— Ah bien d'accord ! Je peux bien m'initier à cette nouvelle boisson.

Pierre sourit en toisant cette femme mal à l'aise de s'efforcer d'articuler un français aussi parfait, que celui de sa jumelle Violette.

— Oh ! C'est sucré votre *drink* ! Mais c'est bon... oui, bien bon. Je vais en acheter à ma prochaine épicerie.

— Ho ! Ho ! pouffe Pierre, en s'assoyant doucement près d'elle, prenant garde de ne pas l'effleurer. Est-ce que vous êtes allée rencontrer monsieur Bousquet pour la restauration de la toiture de votre maison comme je vous l'ai conseillé ? Je vous avais inscrit l'adresse sur un bout de papier.

— Pas t'encore... Je veux fouiner dans mon bas de laine pour voir si j'ai assez d'argent pour tout faire ça. Ça doit être tout de même assez dispendieux, une couverture neuve. Vous savez... cette maison est payée. Mais je dois aussi faire attention à mes dépenses si je ne veux pas être obligée d'aller travailler tout de suite. Je dois bien compter mes sous avant de la faire réparer. Si je décide de faire des réparations, je vais commencer par les fenêtres. Elles en ont bien besoin, les cadrages sont tout écaillés et il y a deux carreaux fendus.

— Vous êtes encore jeune, vous pourriez vous trouver une petite besogne à temps partiel, pour vous changer les idées. De plus, cela vous aiderait à payer les rénovations de votre demeure qui en a grand besoin, quand on la regarde de plus près.

— J'ai assez bûché dans ma vie que là j'aimerais mieux me reposer pour un bout. Je ne dis pas non pour dans quatre ou cinq ans.

— Votre bas de laine... vous n'avez pas encore ouvert votre compte bancaire à la caisse populaire Desjardins ? Vous n'avez pas peur au cambriolage ? De nos jours, les voleurs ne se gênent pas, ils volent même en plein jour.

— Dans une petite ville comme Saint-Pie ? En plus, je ne sais pas où elle est cette bâtisse-là. Je vous le répète : je ne sors jamais de ma maison. Je ne vais même pas à l'épicerie, je la fais livrer par le jeune Frégeau. Non, je suis bien chez nous, moi. À moins d'une urgence, je suis toujours dans ma maison, même si elle est moins belle que la vôtre. Votre maison est magnifique... Pour la caisse populaire, je ne suis pas habituée à ces affaires-là. Tout d'un coup, qu'ils ne me redonnent pas l'argent après que je l'aurai mis dans leur gros coffre ? Je ne fais pas confiance à ce monde-là, moi.

— Voyons Béatri..., mademoiselle Guindon. Cela fait belle lurette qu'elle existe, cette caisse ! Vous y placeriez votre argent en toute sécurité. En tout cas, il serait mieux protégé des voleurs que dans votre bas de laine.

— Ça fait si longtemps que ça qu'elle est ouverte ?

— Bien oui, 1946 ! À cette époque, elle se situait dans le magasin de Jean-Claude Biron sur la rue Notre-Dame...

— Comme de raison, vous savez tout ça encore, vous. Un vrai livre ouvert ! dit-elle en riant.

— Je connais Saint-Pie par cœur, ma chère dame. L'histoire et le patrimoine de mon village me fascinent. Est-ce mal de s'intéresser à nos ancêtres et à ce qu'il a existé avant nous ?

— Mais non ! J'ai un petit creux moi... et vous ?

— Oh ! Avec ma grande langue, il est déjà passé six heures. Avancez et assoyez-vous, je vous apporte votre plat.

— En plus, vous allez me servir mon assiette ? Je ne suis pas habituée à des simagrées de même. Je me sens comme une paresseuse, saint citron !

— Laissez-vous donc gâter... Installez-vous, je reviens dans une minute.

— D'accord, mais la prochaine fois, c'est moi qui vous invite dans ma maison.

— Ho ! Ho ! Quand vous parlez ainsi, vous ressemblez...

— À qui ? lui demande Béatrice, en prenant son verre sur la table du salon.

— À une cousine éloignée.

— Une cousine qui reste où ?

— Heu... à Forestville.

— Vous ne devez pas la rencontrer souvent ? C'est pas mal loin, Forestville, c'est sur la Côte-Nord, saint citron !

— Oui, ce n'est pas la porte d'à côté. C'est pour cette raison que cela fait 25 ans que je ne l'ai vue. Nous sommes chanceux d'avoir un service postal pour correspondre avec les personnes qui demeurent loin de nous.

— Ah… Vous me le servez ce pot-au-feu qui sent si bon, monsieur Côté ?

— Bien sûr !

Le souper et la soirée s'avérèrent des plus sympathiques. Ils parcoururent les albums photo de la famille de Pierre.

Béatrice aime la suavité de cet homme. Il lui raconte des anecdotes liées aux clichés au fur et à mesure qu'elle tourne délicatement les pages de peur de briser les feuilles défraîchies. Sur une image, il lui présente ses parents, Alcide et Genève Côté. Sur la suivante, son épouse Francine, sa fille et ses deux garçons.

— Mais quelle belle femme !

— Elle incarnait la douceur et la joie de vivre.

Sur la photographie, Francine Boisvert porte une jupe soulevée d'une crinoline et un chemisier de dentelle. Une chevelure abondante et très sombre lui donne un regard angélique des plus généreux. Béatrice peut distinguer que Francine est assise sur la pelouse avant de leur demeure de la rue Notre-Dame. La jeune mère de famille tient chaleureusement serrée contre son cœur, une jeune enfant de huit mois, Pierrette. À ses côtés, deux garçons sourient tendrement, tenant dans leur main un cornet de crème glacée.

— Une charmante famille ! Ils sont tous beaux.

— J'aimais ma femme. Sur cette photo elle porte une jupe rose et une blouse blanche. Ses cheveux étaient si soyeux, je ne me lassais pas de les caresser.

— C'est beau ce que vous dites.

— Est-ce que vous me donneriez la permission de vous appeler Béatrice ?

— Ah ! D'accord.

— Parfait ! Vous pouvez me dire Pierre, Béatrice ?

— Ouf... OK ! Je vais essayer de m'habituer. Je peux aller aux toilettes ?

— Bien sûr, elles sont en haut à droite de l'escalier. Attention ! Vous auriez pu vous blesser.

En se levant d'un geste vif, Béatrice a heurté la table de centre et a fait tomber un fabuleux vase de cristal décoré d'angelots dans des feuilles d'acanthe ayant appartenu aux grands-parents paternels de Pierre.

— Hon ! Je l'ai cassé ? questionne Béatrice en se tournant vers le vase, le regard apeuré.

— Non ! Non ! Il ne devrait pas être sur cette petite table, il est trop haut. Demain, je vais lui trouver un endroit approprié.

— Vous avez assez de belles affaires, je suis comme un éléphant dans un magasin de porcelaine ! J'ai peur de tout casser.

— Voyons vous ! De plus, vous êtes toute menue. Allez, allez... j'ai une multitude de photos à vous montrer.

Chapitre 4

Révélations troublantes

Quoi de plus féerique que des milliards de mini cristaux de glace agglutinés se posant sur les autres pour toucher le sol métamorphosé en un joli tapis de flocons blancs ? Monsieur William Bently, un fermier américain décédé en 1931, a découvert grâce à son microscope que chacun de ces flocons a une forme particulière; tantôt hexagonale, parfois triangulaire, en mini colonne ou encore en petites aiguilles. Toute neige fond au printemps, sauf qu'au sommet du Kilimandjaro en Afrique, cette dernière est éternelle.

Comme tous les dimanches, suite à la messe de dix heures à l'église Saint-Pie, Pierre et Violette se sont dirigés vers le restaurant Plamondon sur la rue Notre-Dame pour un brin de jasette devant un café bien chaud. Malgré une sensation de culpabilité, Pierre ressent le besoin d'accompagner cette femme fascinante, mais sans laisser transparaître dans son regard qu'il aimerait bien la suivre jusque chez elle, histoire de faire plus ample connaissance.

— Vous êtes en beauté aujourd'hui, Violette ! Vous êtes vraiment resplendissante.

— C'est trop de gentillesse Pierre, le remercie poliment la femme, enveloppée dans une pelisse noire et chapeautée d'un bonnet « toque » en queue de vison.

Son maquillage est impeccable : un soupçon de vanille sur les paupières qui fait ressortir ses longs cils noirs, un léger fard sur ses jolies pommettes et ses lèvres sont colorées de corail.

— Est-ce que vous avez enlevé vous-même toute cette neige qui est tombée cette semaine, Violette ?

— Bien oui ! J'étais épuisée ! Surtout de soulever chaque pelletée pour la passer par-dessus la haie de cèdre, c'était toute une besogne, croyez-moi ! J'ai vraiment hâte que le printemps arrive. J'aime beaucoup la neige, mais à un certain moment, j'aime revoir les arbres bourgeonner et les fleurs s'épanouir. L'été est si doux avec ses parfums floraux et le chant des oiseaux qui survolent le ciel bleu en faisant des arabesques…

— Bien d'accord avec vous ! Vous voulez dire que vous avez pelleté toute la neige de votre stationnement ?

— En effet. Regardez, il y a encore des traces d'ampoules sur mes mains.

— Pauvre vous ! Mais pourquoi ne pas la compresser vers le solage de votre demeure ? Cela serait beaucoup moins forçant pour vous ! Vous vous donnez beaucoup trop de travail pour rien !

— Pourquoi devrais-je la pousser sur la maison ? Cela ne servirait qu'à l'encombrer !

— La raison c'est que vos comptes d'électricité seraient moindres.

— Comment ça ?

— Tous les flocons entassés jouent le rôle d'isolant et aident à garder votre maison plus chaude… ce qui limite les coûts de chauffage.

— Vraiment ? s'exclame Violette en entourant sa tasse de ses doigts gracieux dans le but de garder la chaleur de son café.

— Bien sûr ! À la prochaine précipitation, j'irai vous prêter main-forte si vous voulez. Vous ne devriez pas manier la pelle… Vous allez vous retrouver avec des maux de dos et c'est bien souffrant, croyez-moi. Je me suis payé un lumbago l'hiver dernier, j'ai manqué deux semaines de travail. Pas capable de me déplacer, seulement si j'y étais forcé en me rendant dans la cuisine ou la salle de bain sur mes quatre pattes, si vous voyez ce que je veux dire.

— Diantre ! Si j'avais su, je serais allée vous donner un coup de main, ne serait-ce que pour cuisiner vos repas et faire le petit barda de tous les jours. C'est aussi très gentil de vouloir m'aider avec la neige tombée sur mon terrain. Mais cela ne sera pas nécessaire, j'aime bien pelleter pour prendre l'air.

— D'accord, chère amie. J'ai frappé à la porte de votre sœur Béatrice ce matin, mais je n'ai obtenu aucune réponse.

— Ah oui ? s'étonne Violette, en levant la tête.

— Vers dix heures moins le quart… Je désirais l'inviter aux quilles en après-midi. Je ne comprends pas votre jumelle, elle ne sort jamais… Elle ne va même pas à la messe.

— C'est pour cette raison que je me rends à l'église tous les dimanches, je suis assurée de ne pas tomber nez à nez avec elle. Sinon, je serais obligée de faire mes prières à la maison. Pensez-vous pouvoir être l'homme qui réussira à lui faire quitter sa maison pour jouer au bowling ? Comme vous m'avez dit l'autre jour : elle a un petit côté sauvageonne, ma jumelle. Je vous souhaite bonne chance pour cette invitation qui la ferait sortir un peu de sa solitude quotidienne. Comment allez-vous vous y prendre pour l'inciter à quitter sa maison pour un après-midi, Pierre ?

— Aucune idée ! Quand j'ai frappé à sa porte, toutes les toiles étaient tirées. Peut-être avait-elle décidé de se reposer, je sais qu'elle est très matinale.

— Bien, si rien n'a changé, quand nous restions chez nos parents, Béatrice se levait à cinq heures tous les matins pour se rendre à l'étable soigner les animaux et elle faisait une petite sieste dans l'après-midi.

— Et vous, vous faisiez la grasse matinée ? la taquine Pierre, s'imaginant épier cette femme savoureuse à demi nue sous les couvertures, alors qu'elle demeurait sur la ferme de ses parents à Saint-Célestin.

— Heu... Tout dépendait de ce que j'avais fait la veille.

— Mais... que pouviez-vous faire dans votre jeune temps lorsque vous demeuriez à Saint-Célestin ? C'est un si petit village !

— Oh ! Si je dois vous énumérer toutes mes sorties de ce temps-là, nous en avons pour toute la journée. Hi ! Hi !

— Je vois.

— J'ignorais qu'il y avait un salon de quilles à Saint-Pie, reprend la jolie femme, souriante.

— Bien oui ! C'est Théodore Gévry qui l'a construit en 1959 en partenariat avec son garçon Guy et son beau-frère Paul-Émile Phaneuf. Théodore exerçait le métier de beurrier fromager à l'époque. L'ouverture officielle a eu lieu en 1960.

— Oh ! Je n'ai jamais pratiqué ce sport. Par contre, je l'écoute à la télévision les dimanches après-midi. Le salon de monsieur Gévry ne doit pas être équipé comme celui à la télé, c'est certain. Je lève mon chapeau aux petits planteurs de quilles. C'est un travail très ardu pour ces jeunes adolescents.

— Ah ! Bien là, je peux vous dire que depuis cette année, la salle de quilles s'est initiée à la nouvelle technologie, celle des planteurs automatiques. Toute une amélioration ! Par contre, cela a enlevé du travail aux jeunes qui se démenaient pour se ramasser un peu d'argent de poche.

— Vous avez raison… Ce ne sont pas toutes les familles qui ont les revenus nécessaires pour payer de grandes études à leurs enfants. Surtout quand la maison est remplie de six ou huit enfants à nourrir et sur qui veiller. C'est sans mentionner les vêtements et tous les médicaments à se procurer quand il y en a un qui contracte un rhume. Parce que vous savez que lorsqu'il y en a un de la couvée qui est malade, tous les autres suivent quelques jours plus tard…

— C'est bien certain… C'était comme ça chez moi lorsque les enfants étaient jeunes : quand l'un apportait un virus, les autres en héritaient à leur tour, et Françoise se retrouvait à la pharmacie tous les jours pour acheter de l'aspirine, du sirop Lambert et des pastilles Vicks au miel contre la toux. Aimeriez-vous vous rendre au salon de quilles pour faire quelques parties, Violette ? Nous passerions un bel après-midi ?

— Oh ! Et si je suis nulle, vous ne vous moquerez pas de moi, j'espère ? Je n'ai jamais pratiqué ce sport de ma vie. Je ne saurais même pas comment lancer la boule dans l'allée, sans faire de gaffe.

— Mais non, c'est facile ! Je suis certain que vous aimeriez. Regardez... Je n'ai jamais voulu m'inscrire dans une ligue de bowling. Ma moyenne n'est que de 102. Donc, je joue pour mon plaisir et c'est très bien comme ça. C'est une bonne activité.

— Comme vous êtes charmant !

— Je passerais la journée à jaser avec vous, Violette. L'hiver, on grouille un peu moins que l'été, vous savez...

— En effet ! Où est situé le salon de quilles ?

— Sur la rue de la Présentation. Mon Dieu ! Il est déjà midi trente... Le temps file tellement vite, en aimable compagnie ! lui avoue la femme aux yeux engageants.

— Est-ce que cela vous dirait que nous prenions notre dîner ensemble ?

— Quelle bonne idée ! Cela fait des semaines que j'ai envie de manger un *hot chicken*... C'est mon mets préféré.

— Eh bien ! Cela tombe bien, j'ai le goût d'un club sandwich ! Alors, on les commande, ces mets alléchants ?

— Oui, Pierre ! Avec une bonne ration de ketchup et de salade de chou !

***

Pierre Côté rentre chez lui à 15 heures. De son balcon, il remarque que les toiles de la maison de sa voisine sont toujours fermées. Ce n'est qu'à 16 heures qu'il décide de lui rendre visite, l'inquiétude s'étant emparée de lui. À son étonnement, en se dirigeant sur la grande galerie de Béatrice, il constate que les fenêtres sont dégagées, et qu'une petite lumière transperce les vitres couvertes de givre.

Il assène trois petits coups à la porte d'entrée.

— Ah, c'est vous ?

— Bonjour Béatrice… Pardonnez ma curiosité, je suis venu vers dix heures moins le quart ce matin pour vous inviter et toutes vos toiles étaient tirées. Tout va bien ? Vous n'êtes pas malade, j'espère ?

— Je vais à merveille ! J'étais dans la cave depuis neuf heures ce matin en train de trier des boîtes. Depuis que j'ai déménagé, je n'ai pas eu le courage de m'en occuper. J'ai retrouvé beaucoup d'affaires que je croyais ne même plus avoir. J'ai trouvé le bidon de crème en granit avec la baratte à beurre en vitre que mes parents avaient dans leur maison de campagne à Saint-Célestin.

— Wow ! Un vrai trésor. Ils sont intacts ?

— Oui ! Des petits souvenirs… Mais ce que j'aimerais avoir ici dedans, ce qui me tenait le plus à cœur, c'est mon berceau à têtière aux patins courbés du temps où j'étais bébé. Je crois bien qu'il a une valeur sentimentale pour moi. Mais je ne l'ai pas, malheureusement.

— Dommage...

— C'est ma sœur Violette qui l'a gardé. Elle aurait pu me le laisser et prendre la couchette que mon père lui avait faite ! Bien non, elle voulait mon berceau ! Tu parles d'une effrontée, toi ! Il était à moi, elle n'avait pas d'affaire à le garder. C'est comme si elle me l'avait volé, saint citron !

— Vous pourriez lui demander ?

— Jamais ! En plus, j'ignore si elle reste encore à Saint-Célestin, cette pimbêche ! Quand je suis venue ici à Saint-Pie, elle m'avait dit que ce n'était pas certain qu'elle demeure dans la Mauricie, près des parents. J'espère qu'elle est partie au bout du monde pour que je ne la voie plus jamais sur mon chemin.

— C'est donc de valeur, comme on dit...

— Ouin... je l'ai de travers dans la gorge, mon berceau, puis elle aussi !

— Vous êtes si dissemblables ? demande Pierre, sachant bien que Béatrice est très différente de sa sœur.

Par contre, elle possède un regard aussi magnétique que celui de sa jumelle.

— Si différentes, vous dites ? Le jour et la nuit ! Violette a toujours eu la tête dans les étoiles ! Moi, je pense que la vie se vit sur terre puis que les étoiles ne brillent pas éternellement comme on le voudrait. Elle, on lui donnait le bon Dieu sans confession ! Moi, pour mes parents, j'étais la vilaine menteuse et le gars manqué. Ils ne m'ont jamais aimée et ne m'ont jamais démontré un seul signe d'affection. Ils ne voyaient qu'elle. Je passais toujours en deuxième dans la maison. Pas de danger d'avoir un vêtement neuf avant ma jumelle ! Ma mère gaspillait sans bon sens pour lui offrir tout ce qu'elle voulait. Elle n'avait qu'à prendre un petit air repentant et le lendemain, elle trouvait une nouvelle robe sur son lit. Mais je dois avouer qu'elle était bien belle ma sœur lorsqu'elle s'endimanchait et se grimait le visage avant de sortir danser les samedis soir. Une vraie princesse ! Au fond de moi, c'est l'allure d'une princesse qu'elle avait, oui, mais elle avait une cervelle d'oiseau et lorsque je suis partie de Saint-Célestin, rien n'avait changé.

— Voyons, Béatrice ! Vous êtes sûrement aussi jolie qu'elle si vous dites que vous êtes identiques !

— C'est évident qu'on est de vraies jumelles. Mais c'est elle qui attirait les hommes, pas moi. Quand on allait à la petite danse, c'est moi qui écopais de faire tapisserie.

— La tapisserie ? Que voulez-vous dire ?

— Que c'est elle qui était invitée à danser par les gars et moi… je restais assise dans mon coin à poireauter en buvant une limonade qui goûtait juste l'eau. C'était ça faire tapisserie, Pierre. C'était d'avoir l'air d'une vraie niaiseuse. D'ailleurs, je ne passais pas toute la soirée à la veillée. Quand j'en avais assez de passer pour une nounoune, je rentrais chez moi. Le lendemain matin, je savais qu'elle était rentrée bien tard, elle se levait pas avant midi.

— Voyons, Béatrice… vous vous sous-estimez. De plus, vous ne sortez jamais. Comment espérez-vous croiser le compagnon idéal ? Toutes les personnes sur terre ont droit à leur petit bonheur… Y a juste les montagnes qui ne se rencontrent jamais, vous savez.

— Bien, je dois être faite en forme de montagne d'abord… Puis rendue à 39 ans… je me suis rentré dans la tête de rester vieille fille.

— Il n'est jamais trop tard pour aimer, Béatrice ! Et de plus, vous êtes une jolie femme.

— Ça, c'est vous qui le dites… Si je regarde la vie de mes parents du temps que je demeurais avec eux… plus les années avançaient et plus leur amour descendait au lieu de remonter. Au point de ne plus se respecter. Non, je ne veux pas vivre ça, jamais. De toute façon, c'est quand on est dans la fleur de l'âge que l'âge commence à faner. Je ne suis pas aveugle, Pierre. Tous les matins, je vois les rides sous mes yeux qui s'étendent de plus en plus.

Pourtant, Béatrice n'aspire qu'à être aimée et cajolée. Elle ne fait tout simplement pas confiance à ce que la Providence lui présente. Pour elle, les couples s'embrassant sur le paillasson sont en fait des gens qui se chamaillent derrière leur porte. Elle ne désire pas gémir sur sa vie passée, mais comment peut-elle agir de façon différente ? Une enfance gâchée : travailler sur la glèbe familiale en laissant s'envoler tous ses rêves de jouvencelle. Car pour elle, sa sœur Violette lui a tout subtilisé, à savoir sa douceur, son charisme et sa féminité. Elle n'a jamais travaillé fort pour prendre la place qui lui revient. Elle préfère se taire au lieu de livrer son secret enfoui au fond de son âme depuis tant d'années, celui de vouloir aimer et être aimée. Le soleil luit pour tout le monde; sauf qu'elle n'a jamais accepté les rayons dorés que cet astre lui offre chaque jour qu'il apparaît dans le ciel bleuté.

Le bleu azur vient de s'estomper pour laisser place à une lueur factice.

— Allez-vous rester dans la porte comme un piquet toute la veillée? lui demande Béatrice en riant. Il commence à faire noir, là.

— Bien oui, regardez donc! Je suis arrivé à la clarté et toutes les lumières sont allumées dans la rue maintenant!

— Entrez, parce que là, j'ai les pieds gelés à vous regarder grelotter sur le bord de la porte...

— Je ne voudrais pas vous importuner...

— Vous ne dérangez pas pantoute, j'avais idée de faire chauffer un pâté au poulet pour souper, ça vous tente de manger avec moi?

— Et comment donc! Merci de votre invitation, c'est gentil.

— Vous aimez le pâté au poulet?

— Oui! Je suis un fanatique de poulet.

— Moi aussi... j'adore tout ce qui est cuisiné avec de la volaille. Mon mets favori est le *hot chicken* comme ma sœur Violette. Je pense que c'est la seule affaire qu'on avait en commun dans le temps. Puis, s'il y en avait sur la table, c'est que ma mère voulait faire plaisir à ma sœur...

— Ah bon! lâche Pierre, mal à l'aise. J'aime beaucoup le pâté au poulet, mais un bon club sandwich à l'occasion...

— Ah! Bien coudon!

— Je vais chez moi chercher une bouteille de vin, la prévient Pierre en se dirigeant vers la sortie.

— J'en ai, mais du blanc, c'est tu correct ?

— Bien sûr ! Ce sera parfait avec votre pâté au poulet.

Le souper, accompagné d'une salade verte composée de tomates cerises et d'oignons rouges finement tranchés en lamelles, le tout aromatisé d'une vinaigrette citronnée, fut excellent.

— Quand vous êtes venu cogner à ma porte ce matin vous vouliez m'inviter pour aller où ? questionne Béatrice, en lui servant une généreuse boule de crème glacée nappée de caramel maison et de noix de Grenoble.

— Heu... patiner.

« Que je n'aime donc pas mentir ! »

— Vous êtes sérieux ?

— Mais oui ! Vous avez des patins ?

— Oui, mais ils sont passés de mode. Je les ai depuis l'âge de 20 ans.

— Une lame aiguisée, c'est tout ce qu'ils demandent ces patins, Béatrice.

— Vous voulez aller patiner où ?

— Il y a une patinoire à l'arrière du collège Sacré-Cœur sur la rue Saint-François.

— Je ne sais pas trop...

— Nous pourrions nous y rendre sous un beau clair de lune. Samedi prochain, ça vous conviendrait ? Naturellement, si la température nous le permet.

— Peut-être. Je vais essayer de trouver mes patins dans la cave.

— Vous me faites bien plaisir. Que faites-vous aux fêtes ?

— Rien. C'est certain que je n'irai pas dans ma famille à Saint-Célestin, je ne parle plus à mes parents ni à ma sœur. Je vais passer les fêtes ici, je crois bien.

— Mes enfants seront tous présents pour la nuit de Noël, je vous invite à venir festoyer avec nous.

— Hein ? Voyons, Pierre ! Vous n'êtes pas sérieux, vous là ?

— J'adore lorsque vous m'appelez Pierre !

— Oh !

— Vous ne dites rien ? Vous allez être des nôtres, Béatrice ?

— Je suis bouche bée là... Je ne connais pas vos enfants. Je me sentirais comme une intruse. Mais j'aimerais voir s'ils vous ressemblent...

— Raison de plus ! Ils ne vous mangeront pas, vous savez. Nous les avons bien élevés, dit-il en souriant.

— Alors, c'est correct, mais je veux mettre la main à la pâte pour le souper. Je vais faire les tourtières, le ragoût de boulettes et le dessert.

— Hum... ce sera délicieux ! Que me restera-t-il à cuisiner moi ?

— Bien... vous êtes capable de faire cuire une dinde ? Ce n'est pas sorcier, vous avez juste à la mettre dans le fourneau, puis l'arroser de temps en temps.

— Ho ! Ho ! Je sais également préparer la farce et je fais moi-même ma sauce aux atacas.

— D'accord, on va faire une bonne équipe, vous et moi !

Pierre a été convié chez Violette, le premier de l'an 1967. Par contre, il est libre pour le festin de Noël qu'il passera en compagnie de ses trois enfants et

Béatrice. Depuis une semaine, il se sent mal à l'aise devant ces deux femmes si différentes, mais tellement attachantes. Béatrice est dissidente et un tantinet compulsive ; par contre, quelle belle et touchante personne ! Quant à Violette, sa féminité et son allure sensuelle peuvent attirer n'importe quel homme dans des situations des plus intimes. Il lui suffit de déposer son regard sur la gent masculine pour que celle-ci s'enfonce dans des rêves érotiques incontrôlables.

— C'est quoi le nom de vos enfants ?

— Vous ne vous souvenez pas ? Je vous en ai glissé un mot la première fois que l'on a jasé dans la cour arrière de votre maison au mois de juin passé.

— Pas vraiment, désolée... je n'ai pas porté attention à nos premières conversations.

— Il y a Pierre Junior et sa femme Murielle.

— OK. Ils restent à Saint-Pie ?

— Non, mais pas très loin d'ici. Ils demeurent à Saint-Hyacinthe.

— Ah bon ! Et vos autres enfants ? s'enquiert Béatrice, en déposant devant Pierre une tasse de café bien corsé.

— Paul... Sa compagne s'appelle Léonie.

— Ils restent à Saint-Hyacinthe eux autres aussi ?

— Oh non ! Lui, il s'est exilé en Abitibi-Témiscamingue. C'est environ à huit heures de Saint-Pie.

— Mon Dieu ! Pourquoi s'en aller rester si creux ?

— Aucune idée ! Il est barman à Amos au Château Inn sur l'avenue Authier. C'est là qu'il a rencontré sa femme Léonie, une fille de Val-d'Or.

— Eh bien ! Vous avez une fille aussi, je crois ?

— Oui, ma belle Pierrette... Elle est mariée avec Marc-André Houde. Ils demeurent sur la rue Principale à Saint-Dominique.

— C'est loin de Saint-Pie ?

— C'est tout près, à peine sept milles.

— Vous n'avez pas encore de petits-enfants ?

— Non. J'aimerais bien apprendre cette grande nouvelle ces jours prochains !

— Chanceux... Si j'avais eu des enfants...

— Pauvre vous ! Vous auriez aimé en avoir, des petits bouts de chou ?

— Oui. Mon père et ma mère ne m'ont pas trop encouragée de ce côté-là, et j'étais trop occupée à bûcher sur la terre. Avec tout le travail que j'avais à faire du matin au soir, je n'ai pas vu passer les années. Aujourd'hui, je vois bien qu'ils voulaient me garder avec eux pour travailler. Je n'avais rien remarqué, moi, l'innocente ! C'est ma jumelle qui a tout eu. Mes parents me traitaient de tous les noms. Je savais qu'une chandelle, ça n'allait pas dans les oreilles, mais comme on dit, moi, je la mettais pareil. À force de me faire rapporter que j'étais niaiseuse bien, je le suis devenue.

— Ho ! Excusez-moi, je ne voulais pas rire, mais de la façon dont vous l'avez dit, c'était tellement drôle. Vous êtes une femme très intelligente, Béatrice... Vous n'avez pas le droit de parler de vous ainsi. Vous êtes une bonne personne et jolie, en plus.

— Merci, c'est gentil... Que voulez-vous, le mal est fait, maintenant... Je ne peux pas retourner en arrière et tout changer.

— Votre jumelle ne voyait rien ? Elle aurait pu vous protéger ?

— Ma jumelle aime porter la couronne, vous comprenez ? Ce n'est pas ma mère, la reine du foyer, c'est elle.

— Pauvre vous.

— Je dirais même…

— Quoi ?

— …

— Béatrice…

— Oh !

— Mon Dieu ! Ne pleurez pas comme ça ! Vous me chavirez le cœur ! compatit Pierre en lui tendant un mouchoir.

— Désolée, mais parler de mon passé fait ressurgir ma peine et une certaine colère. Mais si vous saviez comme ça peut me faire du bien. J'en ai pesant sur le cœur depuis ma naissance…

— Alors, pleurez… Ne vous retenez pas, l'encourage Pierre, en déposant délicatement sa main sur la sienne.

— Elle m'a traitée de « pas fine » et même… « d'affreuse créature ».

— Voyons ! Vous saviez bien qu'elle ne le pensait pas vraiment !

— Oui, elle le pensait, Pierre. Des mots méchants… oui très méchants. Un jour, elle a bavassé à mes parents que j'avais forniqué avec un dénommé Marcel Vanier en arrière de la maison, ce qui était faux. Premièrement, ça ne se pouvait pas. Aller avec ce gars de 20 ans plus vieux que moi, j'aurais eu l'impression de coucher avec mon père, saint citron ! Elle inventait toujours des histoires pour que mes parents la préfèrent à moi. Elle réussissait chaque fois à les attendrir.

— Pauvre Béatrice…

Après avoir accepté le second mouchoir que Pierre lui tendait, elle poursuit :

— Mon charmant « papa » a tout cru ce que Violette lui avait raconté. Pourtant, c'était bien elle qui se rendait dans la grange à tout bout de champ, soit avec un inconnu, un homme à tout faire engagé chez des agriculteurs pour la saison estivale ou un gars de la ville qui après avoir obtenu son dû, ne revenait jamais la voir. Elle pensait juste à s'envoyer en l'air, l'insatiable. Elle passait pour une prostituée au village. Oui… elle a toute une réputation, ma sœur : la pire putain de la paroisse !

— Vraiment !

— Affirmatif ! Quand on dit qu'une virginité, ça se perd en un temps record, c'est ça qui lui est arrivé. La pureté pour elle ce n'est pas important. Elle ne désire pas se marier de toute façon. Sa virginité, elle l'a perdue comme une mouche sur le dos d'une vache… un coup de queue et oups ! Elle a disparu.

— Je n'en reviens pas !

— Une journée, j'étais en train d'aider mon père à redresser la clôture parce que les taureaux du voisin étaient passés par-dessus pour saccager notre jardin. Elle était venue bourrer le paternel en lui annonçant qu'elle allait au village chercher le courrier puis rendre visite à une de ses amies dans le rang Saint-Joseph. La grande perche à Josette Gosselin, une autre pas intelligente, celle-là !

— Elle s'y était rendue ?

— … pour rencontrer une faiseuse d'anges.

— Vous êtes en train de me dire qu'elle était enceinte ?

— Oui. Elle avait récolté ce qu'elle avait semé. Je vous dis qu'elle était bien mal partie, ma sœur. Elle venait de se faire engrosser par un de ses nombreux amants.

— Vos parents n'étaient pas au courant de sa situation ?

— Non. Pour elle, j'ai gardé le secret. Je ne sais pas pourquoi, mais j'ai eu pitié d'elle. Je ne voulais pas que mon père apprenne qu'elle était enceinte, il ne l'aurait jamais accepté. Ma mère non plus, d'ailleurs. Ils auraient été trop tristes que leur petite préférée soit la risée du village de Saint-Célestin.

— Comment l'avez-vous su ?

— Elle m'a emprunté les maigres économies que j'avais. Elle manquait d'argent pour payer l'avortement. Au début, je lui ai refusé cet argent ; mais quand elle m'a expliqué pourquoi elle en avait tant besoin, j'ai eu le cœur brisé pour elle. Je n'ignorais pas que si mon père l'avait appris, il l'aurait mise à la porte, même s'il la préférait à moi. Le seul remerciement que j'ai eu d'elle, c'est que par la suite, elle a continué à me dédaigner comme elle l'avait toujours fait. Je n'étais que sa bouée de sauvetage. Et tout a recommencé, comme si rien ne s'était passé. Les visites des garçons dans l'écurie et les soirées du samedi qui ne se terminaient qu'à l'aube.

— Je n'en reviens pas ! Après tout ce que vous avez fait pour elle !

À ce moment précis, Pierre méprise Violette pour ce qu'elle a pu faire endurer à sa sœur. Est-ce bien la vérité que Béatrice vient tout juste de lui dévoiler ? Quelle histoire !

Chapitre 5

Rendez-vous sous un ciel étoilé

17 décembre 1966

Le firmament étale son encre d'ébène sur l'édredon blanc. En retrait sur la patinoire filiforme, une demi-douzaine d'adolescents pratiquent leur sport favori, le hockey. D'autres, à l'écart, adeptes du patin à glace, déambulent en cercle à la queue leu leu sur le long miroir glacé, aspergé d'eau par le concierge du collège Sacré-Cœur, monsieur Barthélemy Lachapelle.

De sa cheminée, une vieille bâtisse rectangulaire en bois dégage une fumée blanchâtre. Elle est prête à recevoir les randonneurs aux petits pieds gelés.

— Est-ce que vous voulez que je vous aide à lacer vos patins, Béatrice ?

— Bien non... je vais avoir fini avant la fin de la veillée, affirme la femme enjouée installée sur le long banc boiteux.

— Quant à moi, je ne suis pas pressé, j'ai toute la soirée, lui sourit Pierre installé près d'elle, en train d'allumer une cigarette.

— C'est ce que je me disais... Ça fait une éternité que je n'ai pas chaussé des patins, j'ai les mains pleines de pouces, saint citron !

— Laissez-moi faire...

Pierre s'agenouille devant Béatrice, ce qui la fait rougir tendrement. Les patins sont noués vitement et ils quittent le petit refuge pour se lancer sur la glace au milieu des promeneurs expérimentés.

— Soda ! C'est coulant, s'exclame Béatrice, au moment même où Pierre s'empare de son bras pour la soutenir et éviter qu'elle chute et se blesse.

— Ho ! Ho ! Dans cinq minutes vous allez glisser comme une championne artistique.

— Hi ! Hi ! Lâchez-moi pas tout de suite, je vais faire la planche ! Ça fait trop longtemps que je n'ai pas patiné. Je pensais que ça ne se perdait pas, le patin. Je vois bien que j'ai besoin de beaucoup de pratique, j'ai de la misère à mettre un pied devant l'autre !

— Ne craignez rien, je suis près de vous. Laissez-vous aller, je vous tiens solidement. Un pas à la fois, doucement, c'est le secret.

Décembre a revêtu son habit blanc, nostalgie des Noëls d'antan. Pour Pierre et Béatrice, le clair-obscur leur donne la sensation de valser sur une vitre cristallisée. En papotant de choses et d'autres, Pierre ne distingue que les yeux si bleus de Béatrice. Sans lui demander, il desserre son bras et dépose sa main dans la sienne. Pour la première fois, Béatrice sentait qu'elle venait d'ouvrir la porte de son cœur, verrouillé depuis trop longtemps.

Pierre raconte ses Noëls précédents à Béatrice :

— Ce qui est magique avec la fête de Noël, c'est qu'il n'y en a jamais eu une semblable. Elles sont toutes féeriques à leur façon. Le plus triste, c'est quand il n'y avait presque pas de neige à l'extérieur, c'était moins féerique.

— Chaque fête de Noël est différente. C'est ça, la magie des fêtes. On dirait que plus les années avancent, plus je tombe nostalgique. Même si la nuit de Noël était pas très joyeuse à Saint-Célestin, je ressentais toujours une joie profonde de savoir que le petit Jésus venait de naître et qu'il était protégé du froid par l'âne et le bœuf.

— C'est normal, Béatrice. On aime se souvenir des joies de notre enfance ; mais parfois, il y a également des moments tristes qui s'y installent. Quand j'avais six ans, notre famille traversait une crise économique et mon père Alcide était privilégié de travailler pour la ville de Saint-Pie. C'est à la fin des années 1930 que l'asphalte est arrivé dans les rues. Je vous dirais même qu'on en a utilisé pour la construction du premier trottoir de béton de quatre pieds de large en 1910 sur les rues Notre-Dame, Saint-Paul et Roy. Il venait d'avoir 24 ans, mon père. Quand il terminait sa journée d'ouvrage, il se rendait à l'Hôtel Central Rocheleau sur Notre-Dame avec ses compagnons de travail pour boire deux ou trois bières. Assidûment, il se plaisait à lever le coude. Genève, ma mère, l'aimait tellement qu'elle l'attendait tous les soirs de semaine et ne le réprimandait jamais sur ses sorties tardives, même si elle était inquiète de le voir rentrer ivre chaque fois. Mais jamais il n'avait été violent ou déplacé.

— Où demeurent vos parents maintenant ? Ils restent toujours à Saint-Pie ?

— Oh ! Ma mère, Genève, est morte il y a deux ans et mon père l'a suivie l'an passé. Vous savez, ils étaient âgés. Lorsque je suis venu au monde en 1926, mon paternel avait 40 ans et ma maman 38.

— Je suis désolée. Aujourd'hui, vous avez le même âge que votre père quand il est décédé.

— Assez perspicace ! la taquine gentiment Pierre, en resserrant doucement sa main dans la sienne. Toujours est-il, vu la crise économique, il avait accepté une baisse de salaire. Les cadeaux de Noël furent rationnés. Mais, il avait plusieurs cordes à son arc. En plus de mon bas de Noël contenant une orange, des friandises et une bouteille de boisson gazeuse, il m'avait fabriqué une boîte à savon avec une vieille caisse de bois pour courser avec mes amis l'été. Saviez-vous qu'en 1867, la ville de Saint-Pie s'appelait Village-Bistodeau ?

— Ah oui ? Je n'étais pas au courant… Oups…

— Attention ! Je suis désolé de vous avoir brusquée ainsi… Si je ne vous avais pas tirée vers moi, ce jeune écervelé vous faisait tomber sur la glace. Les ados ne sont pas prudents sur une patinoire. Ils se pensent seuls au monde et tournoient dans tous les sens.

— C'est correct…, le rassure Béatrice, étourdie par ce contact inattendu. Vous restiez où, avec vos parents dans le temps ?

— La maison familiale existe encore sur la rue Salaberry juste à côté du bureau de poste.

— Ah bon ! On va-tu en dedans se réchauffer les pieds et fumer une cigarette, Pierre ?

— Bonne idée... Déjà neuf heures ! Comme le temps passe vite en charmante compagnie !

— Bien oui, la patinoire ferme à dix heures. Je pense qu'après avoir fini de fumer je vais ôter mes patins. J'ai mal aux pieds.

— Pauvre vous ! Vous auriez pu me le dire avant ! Je ne pouvais pas deviner !

— Je ne voulais pas gâcher cette belle veillée. J'aimerais vous demander un petit service...

— Bien sûr... lequel ?

— Ma télévision est brisée. Y a-t-il un magasin dans le coin qui pourrait me la réparer ?

— Tout dépend du problème... La grosse lampe a-t-elle rendu l'âme ?

— Non, elle est correcte. C'est la roulette des postes qui passe dans le vide. Je ne suis pas capable de changer de canal. Pis écouter toujours Radio-Canada dans l'après-midi... moi, *Bidule de Tarmacadam*, même si c'est un nouveau programme pour les jeunes, je trouve ça bien plate, vous comprenez ?

— Ho ! Ho ! L'émission pour enfants avec madame Bouline, celle qui tient le magasin général ?

— Vous regardez ça, vous ?

— Je l'ai vue à deux reprises. J'aime bien Denise Morelle qui joue le personnage de cette madame Bouline.

— Ha ! Ha ! Vous me faites marcher ? Vous allez m'apprendre aussi que vous aimez Jean-Louis Millette tant qu'à y être ?

— Bien oui… Mais, entre vous, moi et la boîte à bois, je préfère *Les beaux dimanches.* Lors de la première émission du 11 septembre, ils avaient invité Les Cyniques. Je le trouve hilarant, ce groupe.

— Ah ben ! Ils disent juste des niaiseries, eux autres. Surtout Serge Grenier, je ne suis pas capable de lui voir la face à la télévision ! On ne peut pas aimer tout le monde, hein ?

— Ho ! Ho ! J'aime aussi beaucoup Lisa et Olivier Douglas dans *Les Arpents verts.* Ils sont tellement drôles…

— Oh ! Hi ! Hi ! Bien oui… Tu parles toi ! Laisser New York pour Hooterville en pleine campagne pour rester dans une maison à moitié finie. En plus, ils ont le téléphone, mais cloué sur le bout du poteau, en haut !

— Ho ! Ho ! Mais remarquez bien que je ne possède pas de ligne téléphonique à la maison.

— Pourquoi ? C'est important d'avoir le téléphone quand on a des enfants !

— Je n'en vois pas la nécessité ! Mes parents sont décédés et je n'ai ni frères ni sœurs. Mes enfants m'écrivent et s'il y a une urgence ils ont le numéro de monsieur et madame Roy qui restent en face. Pour revenir à votre téléviseur, Béatrice… Vous pourriez aller chez Conrad Cordeau. Il en vend et s'occupe de la réparation. Il est aussi détaillant de la peinture Sico.

— C'est où ce magasin-là ?

— Sur la rue Notre-Dame. Il tient son commerce dans le sous-sol de sa demeure avec sa femme Georgette. Moi, je désire m'acheter un nouveau téléviseur couleur, mais j'attends. Il en a reçu, mais ils sont chers. Je peux patienter jusqu'à ce que monsieur Cordeau baisse ses prix.

— Ouin, c'est juste pour les gros riches ces télévisions-là. Alors, je vais visiter ce monsieur Cordeau pour qu'il passe chez moi. Venez-vous ! Au lieu de placoter ici, on pourrait prendre un chocolat chaud à la maison ? On dirait que le concierge attend après nous pour barrer la cabane. Il n'arrête pas d'écornifler par la fenêtre.

— Bien oui ! Alors, volontiers pour le chocolat chaud, gentille dame. Nous jaserons des préparatifs de notre festin de Noël...

— De VOTRE réveillon, vous voulez dire ! Moi...

— Vous êtes mon invitée spéciale.

***

Dimanche

Attablé au restaurant, Pierre ignore comment expliquer à Violette qu'il a décidé de décliner son invitation concernant la soirée de la nouvelle année 1967. La veille, il a fait un choix. Béatrice l'attire de plus en plus. Cette femme attachante dissimule un cœur sensible. Il regrette ses rendez-vous avec sa jumelle. Si un jour prochain, il y avait des échanges corporels entre Violette et lui, que leur resterait-il en commun à part ces déboires ?

Pour Pierre, le temps a accompli son œuvre. Il a signé virtuellement son attirance pour Béatrice. Lorsque son regard croise le sien, des éclats de lumière étincellent dans ses yeux. Il a accepté le décès de sa conjointe Francine. Malgré l'amour qu'il a toujours éprouvé pour elle, c'est comme si Dieu l'avait béni et allégé de ses souffrances. Il est maintenant temps d'accorder une attention particulière à cette femme captivante, c'est-à- dire de se prendre une chaise à la table du retour à la vie.

— Vous n'avez pas faim, Pierre ?

— Pas vraiment. Vous non plus, vous n'avez pas touché à votre plat.

— C'est vrai... Pierre ?

— Oui Violette ?

— J'aurais quelque chose à vous dire...

— Ah bon ! Moi aussi...

— Quoi ?

— Commencez, vous... Je vous le dirai après.

— D'accord. Je vous ai invité chez moi, pour fêter la nouvelle année.

— Exact ! C'est à ce sujet que je tiens à vous entretenir, d'ailleurs.

— Attendez, je vous explique. J'ai reçu une lettre de Saint-Célestin. Mes parents m'invitent à passer les fêtes avec eux.

« Ouf ! Quel soulagement ! » pense Pierre.

— Vous allez vous y rendre, j'espère ?

— Je vous avais invité avant. Je ne peux pas vous faire cet affront ! Cela ne se fait pas de vous décommander ! Ce n'est pas dans mes habitudes de revenir sur mes paroles.

— Ne manquez pas cette réunion en famille, pour moi, voyons ! Pensez aux vôtres qui seraient déçus...

— C'est une façon de dire les choses « réunion de famille ». Ce serait plutôt de « mornes célébrations ». Mon père est en fauteuil roulant, et ma sœur Béatrice n'accepterait pas de m'accompagner à Saint-Célestin. Et je ne tiens toujours pas à ce qu'elle sache que je me suis installée à Saint-Pie.

— Je pourrais lui en glisser un mot, si vous voulez ? Un jour ou l'autre, il faudra bien qu'elle apprenne votre présence dans le village.

— Jamais Pierre ! De plus, si elle savait que j'habite Saint-Pie... elle deviendrait bien mauvaise. Je la connais, elle n'a pas le caractère facile, ma frangine.

— Mais vu que nous nous trouvons dans la période des réjouissances, les réconciliations heureuses seraient peut-être au rendez-vous ?

— Non, je ne crois pas. Ma sœur et moi ne pouvons revenir en arrière pour essayer d'en parler et tout reprendre à zéro.

— Alors, partez seule. N'annulez pas votre voyage, souffrance ! Nous aurons le temps de nous revoir souvent à votre retour.

— D'accord... Mais j'avais prévu une magnifique soirée pour nous deux ! J'étais prête à vous ouvrir mon cœur !

— Vous voulez dire...

— ... que depuis notre première rencontre, j'éprouve une réelle attirance pour vous. Est-ce que vous m'auriez fait l'amour, Pierre ?

— Pardon ?

— J'ai envie de vous... depuis le jour où je vous ai croisé à l'église Saint-Pie. J'ai une grande attirance pour vous.

— Bien... Nous verrons à votre retour. Vous savez, depuis un temps, mon cœur...

— Chut ! lui intime Violette en déposant ses doigts sur ses lèvres entrouvertes. Je vais revenir, Pierre. À ce moment, je vous appartiendrai pour la vie.

— Violette !

— Chut ! Je partirai par l'autobus de dix heures le matin du 23. Je vous souhaite une belle nuit de Noël avec vos enfants, glisse tendrement la femme émue en se levant pour retourner chez elle.

— Je peux marcher avec vous jusque sur la rue Roy ?

— Non, Pierre... ce n'est pas nécessaire de tourner le fer dans la plaie. J'aurais une envie folle de vous inviter à entrer. À mon retour de Saint-Célestin, la porte de ma maison vous sera grande ouverte. À ce moment-là, je pourrai vous faire visiter mon petit logement... et plus.

Pierre quitte le restaurant soulagé, mais inquiet. Au retour de cette « lady » envoûtante, comment lui expliquer qu'il est amoureux de sa jumelle Béatrice ? Il rentre tout de même chez lui le cœur léger. Si un jour prochain, Béatrice lui dit « oui », il ne ressentira aucune culpabilité à lui avouer avoir côtoyé sa sœur. Il se voit maintenant digne d'avoir renoncé à ses désirs et ses rêves libertins vis-à-vis de cette femme ensorcelante.

***

Le coucou est sorti de sa maisonnette pour annoncer quatre heures. Installé dans sa berceuse ancrée près de l'âtre du foyer, un verre de cognac à la main, Pierre se lève au tintement du carillon de la porte d'entrée.

— Quelle belle surprise, Béatrice ! Entrez !

— Je ne veux pas vous déranger…

— Jamais vous n'allez me déranger, ma chère ! Venez au salon… Désirez-vous une liqueur alcoolisée, une boisson aux fruits ou je vous prépare un café ?

— Ah ! Je prendrais un jus avant d'aller souper.

— D'accord, attendez-moi deux minutes. Installez-vous confortablement sur le divan.

Béatrice prend place sur le canapé de velours bleu. Elle constate sur la table centrale de la pièce que le long vase en cristal décoré d'angelots dans les feuilles d'acanthe fut remplacé par une bonbonnière en verre soufflé rose cendré.

Lorsque Pierre réintègre le salon, Béatrice prend immédiatement la parole :

— Je suis venue pour vous demander si vous aviez besoin d'aide pour le souper du réveillon. Vu que vous m'avez invitée, bien, ce serait normal que je vous donne un coup de main. Je ferai les tourtières et le ragoût de boulettes ici, en même temps.

— Comment refuser une telle offre !

— Ça me fait plaisir, Pierre… Vous n'êtes pas rentré directement après la messe de dix heures à matin ?

Pierre devint livide. Comment lui expliquer sans se heurter ?

— Heu… après la messe, j'ai marché jusqu'au cimetière et j'ai rencontré une vieille connaissance. Il m'a invité chez lui sur la rue Dollar pour prendre un café.

— Ah ! Vous êtes allez sur la tombe de votre femme ?

— Oui, sur celles de mes parents également.

— Où il est le cimetière de Saint-Pie ?

— Ouf, une longue histoire, ce cimetière !

— Hi ! Hi ! Je sens qu'avec toutes vos connaissances, vous la connaissez par cœur cette histoire-là.

— C'est un fait, approuve Pierre, d'un air guilleret en levant son verre. À la vôtre, Béatrice !

— À la vôtre aussi, Pierre ! Allez, racontez-moi.

— D'accord... Jadis, le cimetière était situé à proximité de l'église Saint-Pie. En 1834, les habitants de la paroisse ont érigé une clôture pour empêcher les animaux d'y entrer. Également, il y avait une porte pour les enfants inhumés n'ayant pas profité du privilège d'avoir reçu le sacrement du baptême à leur naissance. Je parle ici des enfants mort-nés.

— C'était pareil chez nous à Saint-Célestin. Y avait un p'tit coin destiné pour ces gens qui n'avaient pas été baptisés. C'est ben triste pareil... Dans ma tête à moi, ces enfants méritaient d'être enterrés dans un lot pour que plus tard, leurs parents viennent les rejoindre.

— Je n'ai jamais compris pourquoi... Mais c'était le curé qui décidait à ce moment et il ne fallait surtout pas le contredire. En 1898, ce cimetière affichait « complet ».

— Oh là là !

— Bien oui, à ce moment il y avait 5000 morts dans ce cimetière.

— Ouf... C'est beaucoup de chrétiens, ça.

— En 1899, soit le 2 novembre, le nouveau cimetière de six arpents fut béni par le curé de Saint-Pie et son vicaire.

— Juste le curé et le vicaire ? Le maire de la ville n'était pas présent ?

— Je l'ignore... Par contre, je sais que le magistrat de Saint-Pie en 1899 était Clément Grenier, un cultivateur de la place. Le plus grand cimetière se situe sur la rue Saint-François.

— Tout est bien qui finit bien ! Toutes les familles sont enterrées ensemble.

— Pas exactement, Béatrice...

— Comment ça ? Le deuxième marquait encore « complet » ?

— Non, mais en 1902, les dépouilles du vieux cimetière furent transportées dans le récent lieu de repos des disparus...

— C'est correct, ça !

— Oui, et à ce moment-là...

— Qu'est-ce qu'il est arrivé après, Pierre ?

— Au cours des années qui suivirent, le curé a décidé de transformer le grand terrain en champ de culture. En creusant la terre, ils ont déniché des os humains.

— Vous voulez dire que les morts avaient été oubliés là ?

— En effet.

— Mais ce n'est pas grave... Ils ont probablement été rejoindre les autres morts, dans le nouveau cimetière. Sauf que cela doit avoir été difficile de tous les réunir comme ils étaient dans l'ancien cimetière.

— Oui, c'est cela qui s'est passé.

— Vous rendez souvent visite à votre femme, au cimetière ?

— Deux fois par mois. Elle est enterrée aux côtés de mes parents.

— Elle vous manque encore beaucoup ?

— Ça va... elle est heureuse là-haut. Je lui rends visite pour lui parler de nos enfants et de ce qui se passe dans la paroisse.

— J'ai hâte de rencontrer vos enfants.

— Ce sont de bons enfants... Ils sont charmants, croyez-moi.

— Je n'en doute pas, avec un père comme vous, le complimente Béatrice avec un petit clin d'œil.

— Vous savez, on a les enfants qu'on a. Nous leur avons donné l'éducation correspondant à ce que nous possédions comme connaissances. Pierre et Paul représentent des garçons justes et avenants...

— Et votre fille Pierrette ?

— Ma cadette, également. Toutefois, je la trouve agressive, parfois. J'ai l'impression qu'elle me reproche des choses... J'ai déjà essayé de lui parler, mais en vain. Elle est têtue. Elle n'a jamais compris pourquoi sa mère a décidé de partir sans nous prévenir, alors qu'elle était très jeune.

— Ça s'est fait si vite ?

— Très vite ! Elle se plaignait de migraines et d'un douloureux torticolis. Elle ne bougeait plus la tête, tellement elle souffrait. Je me suis rendu chez mon voisin pour appeler un taxi. En rentrant dans la maison, je l'ai trouvée sans vie sur le parquet de la cuisine.

— Oh ! Quelle mort atroce !

— Quinze ans déjà... Bon, nous n'allons pas nous éterniser sur le sujet de la mort toute la soirée, Béatrice ? Si l'on jouait une partie de cartes ?

— Il est cinq heures et demie, Pierre ! Je n'ai pas encore soupé. Merci quand même. On se reprendra un autre soir, si vous voulez.

— Et si j'allais à la cantine Riendeau nous prendre un *hot chicken* et un club sandwich ? Par la suite, seriez-vous partante pour un petit 31 avec votre voisin ?

— Hi ! Hi ! D'accord.

CHAPITRE 6

La fête de l'Éternel

25 décembre 1966

La neige possède son petit caractère. Au moment où elle décide d'entreprendre une sortie remarquée, elle ne se gêne pas pour tout masquer sur son passage. Elle ceinture et recouvre tous les obstacles qu'elle rencontre. Cette dernière provoque une quasi-absence de visibilité sur les routes rurales, rendant la randonnée hasardeuse pour de nombreux voyageurs. Lorsqu'elle se joint au blizzard, ces deux comparses réunis bénéficient du pouvoir de paralyser plusieurs villages, dont celui de Saint-Pie, en cette commémoration de la naissance de l'enfant de Bethléem.

Sur l'artère de la rue Notre-Dame, des congères se sont élevées en un temps record. Les trottoirs de béton sont invisibles et les balcons sont disparus sous l'épaisse couette blanche immaculée.

L'inquiétude de Pierre est évidente. Il arpente lourdement le couloir de sa maison à répétition. Béatrice n'en peut plus de le voir s'inquiéter ainsi.

— C'est de valeur que vous ayez décidé de faire ça aujourd'hui le 25. À l'heure qu'il est, on ne voit pas l'autre bord de la rue, saint citron ! J'espère juste que vos enfants vont être capables de traverser cette tempête et qu'ils seront ici pour fêter avec nous. Ce serait bien dommage d'avoir préparé toute cette nourriture. Par chance, vous allez pouvoir congeler les tourtières et le ragoût, ça évitera de les perdre.

— J'aurais préféré qu'ils se pointent tous hier soir, pour le réveillon. Paul avait omis de nous dire qu'ils étaient invités chez la mère de Léonie à Val-d'Or pour un souper. Alors, je n'ai pas eu le choix de changer la journée, pour les recevoir, sinon cela aurait été bien triste de ne pas les voir à Saint-Pie comme toutes les années précédentes. Que voulez-vous, on ne peut rien faire contre la nature.

— Ah, c'est bien sûr ! Mais ce n'est pas mieux aujourd'hui... Ils ne pourront peut-être pas venir avec cette température de misère, Pierre. Ça me désole autant que vous, vous savez.

— Je sais bien... vous êtes gentille. Le pire c'est que je ne peux pas téléphoner pour m'informer s'ils ont quitté Amos. Au moins, j'aurais l'heure juste, comme on dit...

— Pourquoi vous n'allez pas appeler chez les Roy en face ? Vous arrêteriez de vous morfondre ! Allez-y ! Vous allez être rassuré après. Je n'aime pas vous voir dans cet état.

— Bonne idée, Béatrice. Déjà dix heures... ils étaient censés partir à l'aube pour déjeuner en route à Mont-Laurier chez des amis. Vous venez avec moi ?

J'aimerais vous présenter à monsieur et madame Roy. Ils sont très gentils.

— Non, non... j'ai à finir de rouler ma pâte à tourtière. À force de jaser avec vous, je suis en retard dans mes préparatifs. Je ne finirai jamais à temps pour le souper, si ça continue.

— Comme vous désirez... Il faudrait bien que vous les rencontriez un de ces jours, vous demeurez sur la rue Notre-Dame depuis juin passé et vous ne les connaissez pas.

— Ils doivent m'avoir déjà aperçue sur le parterre depuis la journée de mon déménagement ! Je suis toujours dehors en train de désherber l'été et en train de pelleter l'hiver.

— Ils vous ont remarquée, mais ce n'est pas évident pour eux d'essayer de voir votre joli petit minois dissimulé sous votre grand chapeau de paille ou bien caché sous une tuque de laine.

— Ça ne presse pas. Je vous l'ai dit que je n'étais pas une *voisineuse*. Chaque chose en son temps. Un jour, on va bien se rencontrer pis on piquera une bonne jase.

— Dois-je en déduire que je suis privilégié de vous avoir rencontrée, Béatrice ?

— Oui, vous êtes bien chanceux. Hi ! Hi !

***

Quatorze heures. La table des convives est joliment dressée par les mains créatrices de Béatrice. Sur la longue nappe de papier blanc, elle a placé soigneusement des bougies dorées, une coutellerie issue d'un coffre capitonné de velours rouge et deux couronnes en guise de centre de table ont été fabriquées de branches de pin et saupoudrées de sucre à glacer. Huit coupes de cristal ceinturées d'un ruban émeraude égaient le service de vaisselle en porcelaine, et bien sûr, la traditionnelle bûche de Noël recouverte d'une mousse au chocolat et fourrée de crème vanillée fera l'envie des petites dents sucrées des convives.

À la radio, Les Classels interprètent *Cloches d'argent*, issu de leur nouveau microsillon *Blanc sur neige*. Près de la berceuse, l'imposant poêle crépite d'allégresse tout en dégageant un arôme des bois et le sapin princier illumine la petite crèche d'où l'église cartonnée de papier gris imite l'abbatiale de la rue Notre-Dame.

À l'extérieur, la neige s'empile toujours plus sur les terrains en formant d'énormes congères et les arbres coiffés de leurs chapeaux pointus sont parés de leurs beaux habits molletonneux. Pour certains, c'est un spectacle féerique et pour d'autres qui n'apprécient guère cette saison froide, un encombrement total.

— Ne vous inquiétez donc pas, Pierre ! Ils vont arriver d'une minute à l'autre, vos enfants. Si cela a du bon sens, de se faire du mauvais sang comme ça !

— Je n'ai obtenu aucune réponse chez Paul... Ils ont peut-être décidé de rebrousser chemin ? La météo nous prévoit un pied de précipitations, ce n'est pas rien ! Je retourne donner un coup de pelle sur les marches de la galerie. Est-ce que vous désirez que je vous serve un apéritif avant de sortir, Béatrice ?

— Pas tout de suite. Vous savez, on dit que pour que le vin fasse du bien aux femmes, il faut que ce soit les hommes qui le boivent. Hi ! Hi !

— Oh ! Une suggestion ?

— Hein ? Quelle suggestion, Pierre ?

— Vous voulez que j'ingurgite du vin pour vous faire du bien ?

— Voyons ! C'est un dicton..., lance Béatrice, le visage cramoisi. Ne prenez pas ça pour du *cash*, hein !

— Ho ! Ho ! Je vous taquine, Béatrice. Je sors manier la pelle, ça va chasser mes idées noires.

— Quelles idées ? se moque Béatrice, en se dodelinant dans la berceuse tiédie placée à côté de l'âtre du foyer, érigé en pierres dépareillées.

— Laissez tomber, chère dame. Continuez à vous reposer avant l'arrivée de nos invités.

À 15 heures, Pierre junior entre dans la maison en compagnie de sa femme Murielle, les bras chargés de présents décorés de rubans et de petites cartes de toutes les teintes.

Les présentations sont des plus chaleureuses. Béatrice, nostalgique, envie à Pierre son statut de père de famille : « C'est-tu beau, une belle famille comme ça, saint citron ! »

— Comment sont les routes, mon gars ? s'informe l'homme de la maison en s'allumant une cigarette. Donne-moi ton manteau Murielle avant d'enlever tes bottes, tu vas être plus à l'aise.

— Les artères sont bien déblayées à Saint-Hyacinthe, papa. C'est lorsqu'on arrive ici à Saint-Pie que c'est un peu plus ardu de tourner aux coins de rue. C'est très coulant, il faut faire très attention pour ne pas déraper sur un banc de neige. Tu es inquiet de ne pas voir venir Paul et Léonie, c'est ce qui te tracasse ? Ils vont arriver bientôt. Ne t'inquiète pas.

— Mais si la route est trop mauvaise dans le nord, je préfère qu'ils aient fait demi-tour que de risquer un accident. De toute façon, s'ils ont rebroussé chemin, Paul va téléphoner pour pas qu'on s'inquiète. Venez au salon... Je vous sers une coupe de mousseux.

— Je suis heureuse de vous rencontrer enfin, Béatrice ! lui glisse Murielle en souriant tendrement.

— Oh ! Moi aussi chère ! Votre beau-père avait juste oublié de me dire une affaire sur vous...

— Quoi donc ?

— Que vous étiez bien belle !

— Vous êtes gentille... On dit que je ressemble à ma mère Catherine en vieillissant.

Murielle est une personne très généreuse, remplie de bonté. Pas très grande, elle porte une jolie robe couleur caramel et sa longue chevelure cuivrée encadre un regard noisette des plus bienveillants. À côté d'elle, vêtu d'un jean et d'une chemise carrelée, Pierre junior est d'une simplicité évidente. Depuis deux ans, il exerce sa profession d'infirmier à l'hôpital Honoré-Mercier sur la rue Laframboise à Saint-Hyacinthe.

Béatrice s'est tout de suite acclimatée à son rôle de reine du foyer. Par contre, elle est bien consciente que ce titre ne lui est que prêté. Tout est parfait ! Elle a accompli un travail colossal en ce qui concerne les décorations de la maison et le repas traditionnel.

Le vent continue de souffler durement à l'extérieur. Sous le regard inquiet de Pierre, une quantité incalculable de flocons virevolte et se cogne à la grande fenêtre givrée du salon.

Sur la rue Notre-Dame, un couple heureux et soulagé vient de stationner leur voiture dans l'entrée étroite à demi déneigée.

— Ouf… j'ai craint de ne jamais arriver à destination, Paul ! lance Léonie en s'emparant de son sac, de ses gants et d'une poche en jute remplie de présents pour les siens.

— Tu n'as pas confiance en l'excellent conducteur que je suis, ma biche ?

— Je suis toujours en sécurité avec toi, Paul… c'est les autres chauffards que je redoute. Tu sais, la journée de Noël, plusieurs ont consommé un petit verre avant de s'aventurer sur les chemins. Et de plus, nous avions huit heures de route à faire, ce qui n'était pas évident.

— Tu as raison, ma belle. Donne-moi ta main, tu risques de tomber avec toute cette giboulée.

Et oups ! Trop tard… Léonie vient de perdre pied. Elle est étendue sur la neige mollie et ne bouge plus, tellement elle est sonnée de sa chute.

— Mautadine ! Je suis couverte de neige. Arrête de rire Paul et aide-moi !

— Désolé, tu es si drôle ! Tu ressembles à un petit bonhomme de neige !

— Très comique ! Mes bottes sont remplies de neige et mon mascara a tout dégouliné. De quoi vais-je avoir l'air devant la nouvelle flamme de ton père maintenant ?

— Ce n'est pas sa « blonde », Léonie… Il a insisté au téléphone : « C'est une voisine, une bonne amie. »

— Bien oui, ils disent tous ça, les hommes ! Tu sais bien que s'il l'a invitée, c'est qu'il a sûrement une attirance particulière envers cette femme.

Pierre est comblé. Son garçon et sa bru sont arrivés sains et saufs de l'Abitibi-Témiscamingue.

— Comme je suis soulagé ! Je ne vous espérais plus ! Mon Dieu, Léonie, tu es tombée dans la neige, on dirait ?

— Oui, j'ai les pieds tout mouillés, monsieur Côté. Ce n'est pas évident d'enjamber ces lames de neige quand on a la vision obstruée par tous ces flocons qui nous couvre le visage.

— Pauvre petite ! Enlevez tout ça, suggère Béatrice. Pierre, vous devriez aller chercher une paire de bas de laine pour qu'elle puisse réchauffer ses pieds.

— Je m'appelle Léonie, madame Guindon… je suis ravie de vous connaître enfin, se présente la femme rondelette de 22 ans aux cheveux courts noirs, et au regard vert.

— Moi aussi Léonie, je suis enchantée de vous rencontrer. Vous pouvez m'appeler mademoiselle Béatrice. La « madame » je garde ça pour mes 70 ans.

— Je suis bien d'accord, Béatrice.

Pierre reprend immédiatement la parole :

— Mademoiselle Béatrice, Léonie ! Mademoiselle.

— Ah bon !

C'est ahurissant de constater combien Paul ressemble à son père. À l'exception de leur taille, des copies conformes ; car Pierre est beaucoup plus élancé que son fils. Ils possèdent tous deux des yeux verts identiques, une tignasse noire broussailleuse et un sourire enjôleur.

Les bourrasques ont cessé de fouetter l'air. Les flocons collés à la fenêtre se sont métamorphosés en de légères gouttelettes s'étirant pour adhérer les unes aux autres.

Finalement, la cadette de Pierre, Pierrette, se pointe, accompagnée de son époux Marc-André.

— Entrez, entrez ! Vous arrivez tard les enfants ; Saint-Dominique est à côté !

— Papa..., grogne sa fille Pierrette, qui tient le bras de son mari dans le but de retirer ses longues bottes noires aux talons vertigineux. À Saint-Dominique, c'est exactement pareil à ici, les artères sont paralysées. Vous êtes madame Guindon, je suppose ?

— Oui, c'est moi. Appelez-moi mademoiselle, si vous voulez.

— D'accord, Béatrice. Je vous présente mon conjoint, Marc-André.

Pierre reprend la parole :

— Mademoiselle Béatrice, ma fille... pas Béatrice.

— Ah bon ! Je ne pensais pas rencontrer une personne si jeune ! J'avais une autre image de vous dans ma tête...

— Bien là, j'ai 39 ans ! Je ne suis plus une jeunesse, quand même !

— Hein ? Je n'en reviens pas ! Je vous aurais donné à peine 30 ans.

— Vous êtes bien fine madame.

— Appelez-moi Pierrette, « mademoiselle » Guidon.

— D'accord pour Pierrette, alors !

Pierrette, taille moyenne de 1,64 mètre au regard rieur, déborde de joie de vivre. Son mari Marc-André a, pour ainsi dire, un air bête et Dieu que Béatrice a vu juste ! Ce dernier ne l'a pas saluée. Il s'est dirigé vers le salon pour rejoindre les invités. « Il est donc bien sauvage, lui ! »

Le repas cuisiné en grande partie par Béatrice est louangé par tous les convives. On discute surtout du travail des enfants de Pierre et des projets de Murielle et son conjoint : la joie de devenir parents pour la nouvelle année 1967.

Pierrette, avec son petit côté bonasse, n'a pas remarqué que son mari Marc-André ramène fréquemment dans la conversation le nom de sa mère Francine, ce qui énerve Béatrice au plus haut point.

— Marc-André ?

— Oui, beau-papa ?

— Ma femme Francine est morte depuis 15 ans... Les seuls renseignements que tu connais d'elle, ce sont ceux que nous t'avons donnés moi et les miens. Tu ne l'as pas connue et quand elle est décédée, Pierrette n'avait que quatre ans. Je te demanderais de ne plus mentionner son nom comme si cela faisait belle lurette que tu la connaissais.

— C'est pour ça que j'en parle, monsieur Côté ! J'aurais tellement aimé la connaître ! C'était une belle femme selon les photos que j'ai vues. Pierrette m'a raconté qu'elle se souvenait de plusieurs petites anecdotes de son enfance même si elle avait juste quatre ans.

Béatrice se lève pour enlever les assiettes sales de la table et mixer la crème qui accompagnera la bûche chocolatée traditionnelle.

— Voulez-vous un café, Marc-André ?

— Non merci, refuse sèchement le mari de Pierrette tout en s'emparant de la bouteille de vin au centre de la table pour remplir à nouveau sa coupe.

— Ah bon ! Un thé, d'abord ?

— Je vous ai dit que je ne voulais rien. J'ai du vin et ça me suffit amplement.

Là, c'en est assez de la goujaterie venant de ce gendre manquant totalement de savoir-vivre ! Pierre fulmine intérieurement.

— Elle t'a seulement demandé si tu désirais un thé, Marc-André. Pourquoi lui répondre aussi sèchement ? réplique vertement Pierre, mécontent de la réponse de son gendre.

— Hein ? J'ai parlé poliment à ce que je sache ! C'est mon air habituel... vous ne me connaissez pas encore, le beau-père ?

— Bon... Laisse tomber.

Pour alléger cet échange inapproprié en cette fête biblique, Murielle relance à nouveau la conversation :

— Mademoiselle Béatrice, votre repas était divin ! Quel délice !

— Merci, Murielle. Je dois vous avouer que votre beau-père a mis la main à la pâte aussi. Je n'ai pas préparé tout ce festin seule !

— Vraiment ? Qu'a-t-il fait de si extraordinaire pour ce souper de Noël, mon cher papa ? C'est certain que ce n'est pas lui qui a concocté ces succulents plats comme cette crème de légumes et ce délicieux ragoût ?

— Non... mais il a fait cuire la dinde et il a fait la sauce aux atacas.

— Wow ! Vous êtes un vrai chef, monsieur Côté ! se moque gentiment sa bru.

— N'exagérons rien, Murielle, voyons ! J'ai seulement donné un petit coup de main à Béatrice.

La soirée s'est terminée à 11 heures et tous les invités purent quitter la demeure paternelle sous un ciel étoilé. Les artères sont bien dégagées. Paul et Léonie dormiront chez Pierrette à Saint-Dominique pour reprendre la route tôt le lendemain matin.

De nouveaux seuls, Béatrice et Pierre ont rangé la maison en un temps record.

— Vous avez une superbe famille, Pierre ! Je vous envie.

— Oui, en effet. Je suis très fier de ce que la vie m'a apporté. Dites-moi, Béatrice, qu'est-ce que Pierrette peut trouver d'attirant chez Marc-André ? La journée qu'elle me l'a présenté, je l'ai trouvé antipathique. C'est peut-être moi qui me fais des idées.

— C'est vrai qu'il n'a pas une grosse façon et il répond toujours promptement. On dirait qu'il est fâché quand il parle.

— Il a été très impoli envers vous, et je ne lui pardonnerai jamais.

— Ce n'est pas grave. Le monde ne peut pas tout être fin comme vous puis vos enfants !

— Comme vous êtes gentille, vous ! Quand je suis devant vous...

— Voyons, voyons ! Bon... je crois que je vais aller me coucher moi. Je suis un peu fatiguée.

— Je comprends, vous n'avez pas arrêté depuis neuf heures ce matin.

— Ça m'a permis de rencontrer vos enfants et de passer un beau Noël. Au jour de l'An, je vous invite à souper à la maison.

— Vraiment ?

— On n'est pas pour rester chacun chez nous comme des cotons à se tourner les pouces, hein ? Je vais popoter un repas bien simple. Après, bien on jouera une partie de cartes ou de Monopoly. Vous recommencez à travailler quand à votre usine de moulée ?

— Malheureusement, mardi le 3 janvier. Cela n'a pas de bon sens comme le temps s'écoule vite. Dans une semaine, nous entamerons l'année 1967.

— Bien oui... Il va y en avoir des nouveautés l'année prochaine ! L'Expo universelle au mois d'avril, c'est toute une affaire ça ! Je vous dis que le maire Drapeau n'a pas froid aux yeux, avec ses nouveaux projets. Les Montréalais sont privilégiés d'avoir un tel homme comme maire !

— Oui, il a plein de projets dans la tête. Aussi, vous oubliez le pont-tunnel Louis-Hippolyte-La Fontaine qui est censé ouvrir en mars, ce n'est pas de la petite bière, ça non plus !

— Ouin... Moi, jamais que je ne passerai dans un pont en dessous de l'eau ! J'aurais trop peur qu'il craque puis que je meure noyée. J'aimerais mieux faire 100 milles de plus, pour éviter de passer dedans.

— Voyons ! Il n'y a aucun danger ! Tout sera sécuritaire, ne vous inquiétez pas. Venez-vous asseoir un peu Béatrice, on va siroter une crème de menthe avant d'aller dormir.

— OK ! Mais après, dodo.

— D'accord... une blanche ou une verte, madame ?

— J'aimerais mélanger les deux, ça se fait-tu ?

— Certain ! Cela vous tenterait de visiter l'Expo universelle au printemps ?

— Hein ? Comment on pourrait y aller ? Vous n'avez pas de char !

— En autobus, voyons ! Je demanderais à mon fils Pierre de nous prendre ici à Saint-Pie et nous prendrions l'autobus au terminus de Saint-Hyacinthe pour nous rendre à Terre des Hommes. Ce serait tellement une belle journée !

— Ce serait tout un voyage, oui ! Ouf... une grande sortie !

— Une agréable journée, Béatrice !

Béatrice rêve doucement. Elle s'imagine déjà déambulant dans le pavillon de la Grande-Bretagne, pour lequel les médias ne disent que des éloges. Une majestueuse construction blanche dépourvue de fenêtres, dominée d'une tour à l'allure insolite.

— On verra au printemps... Je ne vous dis pas non.

— Super ! Si le cœur vous en dit, nous visiterons également le Village de La Ronde.

— ...

— Béatrice... êtes-vous toujours avec moi ? Vous me paraissez songeuse.

— Oui, oui, excusez-moi, j'avais la tête dans les étoiles, je crois bien. Je me voyais déjà sur l'île Sainte-Hélène...

— Elles étaient jolies, ces étoiles ? demande Pierre en souriant câlinement.

— Oh que oui !

— Ho ! Ho !

Chapitre 7

L'enveloppe rose

— Bonjour, Béatrice ! Comment allez-vous ? demande gentiment le meunier qui venait de déposer sa boîte à lunch à ses pieds.

— Salut Pierre… je vais bien. Puis, comment s'est passé votre retour au travail ? s'informe Béatrice qui enlève la neige sur sa galerie.

— Tout s'est bien déroulé… par contre, j'aurais profité d'une semaine supplémentaire. C'était trop court. Le temps est vraiment doux aujourd'hui. Est-ce que cela vous dirait de marcher après souper ? propose-t-il en s'étirant le bras pour prendre son courrier dans sa boîte aux lettres.

— Ah ! Mais, il y a apparence qu'il va neiger ce soir.

— Raison de plus ! La température sera des plus clémentes pour une promenade.

— Saint citron ! Une enveloppe rose ! Vous avez commencé à allumer votre fanal ailleurs, Pierre ?

— Pardon ? demande Pierre surpris en dissimulant la missive dans la poche de son pardessus brun.

— Bien là, ce n'est toujours pas un homme qui vous l'a fait parvenir, cette lettre ? Elle est rose ! s'exclame Béatrice en pointant la poche du manteau de Pierre. Puis en plus, elle est parfumée, ça sent jusqu'ici.

— Ah ! Cette lettre vient de ma cousine de Forestville... Je crois bien qu'elle possède une boîte d'enveloppes multicolores, car elle me poste continuellement des lettres de couleurs différentes. À chaque envoi, la teinte diffère.

— Eh bien ! Elle est mariée, votre cousine ?

— Rosita est veuve depuis plusieurs années.

— Vous savez bien qu'elle n'est pas encore virée en statue de sel ! C'est pour ça qu'elle vous écrit, la Rosita ! Une enveloppe rose qui sent la rose, on ne rit plus !

— Pourquoi cette remarque, Béatrice ?

— Bien... même si c'est une parente, elle pourrait avoir plus que de l'esprit de famille pour vous ?

— Seriez-vous jalouse ?

— Pff... Vous avez bien le droit de faire ce que vous voulez de votre vie de veuf.

— Vous vous faites des idées, Béatrice... ma cousine ne m'attire pas physiquement, croyez-moi.

— Elle n'est pas belle ?

— Je dirais que cette femme n'est tout de même pas une laideur...

— Arrêtez donc de parler entre vos dents... Elle vous plaît ou pas ?

— Bon, je vais préparer mon souper avant que notre conversation ne tourne au vinaigre.

— C'est ça... à tout à l'heure à sept heures.

— D'accord… Je vous attendrai sur le trottoir en avant de votre maison.

***

Après avoir réintégré sa maison et enlevé ses bottes, Pierre se verse un verre de bière et s'installe à la table de la cuisine pour parcourir la missive de Saint-Célestin.

Bonjour Pierre,

Est-ce que vous avez passé un joyeux temps des fêtes ? De mon côté, Noël s'est déroulé tranquillement, sauf qu'au jour de l'An, mon paternel est tombé malade… une crise de cœur. Depuis l'incident, il est alité à l'hôpital de Trois-Rivières. Maman est inconsolable et ne fait que pleurer, la pauvre femme. Elle en fait pitié. Selon les dires du médecin, nous ignorons s'il va s'en sortir vivant. S'il s'en sort, il sera très fragile et demandera une constante surveillance.

Je vous écris cette lettre, car j'ai à vous annoncer que je ne rentrerai pas à Saint-Pie ces jours prochains; sauf si mon père obtient son congé de l'hôpital. Je veux m'assurer que sa convalescence se passera normalement avant de quitter ma mère.

Je suis consciente que présentement vous êtes déçu d'apprendre cette mauvaise nouvelle.

Vous vous faisiez une joie de renouer avec moi bientôt. Comment pourrai-je agir autrement ? Ma mère a la peur dans le cœur et mon devoir est de rester auprès d'elle. Personne ne laisserait sa mère dans des circonstances pareilles. En tout cas, pas

moi. Elle ne mérite pas cette solitude. Elle pourrait tomber malade à son tour.
Ne prévenez pas ma sœur Béatrice de ce qui arrive… Si l'état de mon père se détériore, je vous ferai parvenir un télégramme de Saint-Célestin. À ce moment, vous pourrez l'en aviser pour qu'elle vienne nous rejoindre. Je ne souhaite aucunement sa présence ici…
Pour ce qui est de nous deux, est-ce que vous serez toujours heureux de me revoir lorsque je rentrerai à Saint-Pie ? De mon côté, je n'aspire qu'à un jour prochain, revenir dans mon logement sur la rue Roy pour enfin vous ouvrir mon cœur ; naturellement si vous en ressentez encore le désir. Je m'ennuie énormément de vous et j'ai bien hâte de vous retrouver, Pierre.
Tendresse,

Violette xx

P.-S. Ne répondez pas à cette lettre, au cas où je serais de retour plus vite que prévu à Saint-Pie.

***

En cette confortable soirée, la rue Notre-Dame est emplie de quiétude. Une petite neige valse et se dépose tout doucement sur les épaules des randonneurs. Béatrice est heureuse au bras de Pierre.

— C'est-tu pas assez merveilleux ! Je marcherais toute la veillée, saint citron !

— En effet, c'est féerique et la température est très douce.

— Elle est pas mal belle cette maison-là, hein Pierre ?

— Vous ignorez le nom de la personne qui demeure dans cette grande résidence, Béatrice ?

— Vous êtes au courant, vous ?

— Certainement ! C'est la propriété de notre premier ministre du Québec, monsieur Daniel Johnson !

— Hein ?

— Voyons, Béatrice, il a été élu premier ministre le 16 juin 1966 !

— J'étais au courant ! Je connais Daniel Johnson, je ne suis pas niaiseuse à ce point-là ! Ce que je ne savais pas c'est qu'il restait ici à Saint-Pie. Toute une nouvelle ! Puis sa maison doit être magnifique à l'intérieur. Comme j'aimerais y entrer !

Daniel Johnson fut élu chef de l'Union nationale en 1961. Il est né à Danville en Estrie en 1915. Il est le deuxième d'une famille de neuf enfants. Il a fait ses études classiques au séminaire de Saint-Hyacinthe entre 1928 et 1935. Par la suite, de 1935 à 1937, il a étudié au grand séminaire dans le but de devenir prêtre. Toutefois, à l'automne 1937, il quitte cet établissement pour entreprendre des études en droit à l'Université de Montréal. Vu la condition modeste de ses parents, madame Huot, une amie de la mère de ce dernier, lui avait financé ses études.

En 1946, suite au décès du député libéral Cyrille Dumaine, il fut nommé député provincial de la circonscription de Bagot pour l'Union nationale.

Il sera réélu sans interruption lors des six élections générales suivantes, de 1948 à 1966.

— Eh oui, chère dame... Désirez-vous venir prendre un café ou un chocolat chaud à la maison ?

— J'aimerais ça, mais je ne voudrais pas manquer mon programme. Il est presque neuf heures, ça joue à neuf heures et demie.

— Quelle émission ?

— *Moi et l'autre* avec Denise Filiatrault puis Dominique Michel.

— Vous avez raison, nous sommes mardi... Je l'écoute moi aussi, Béatrice.

— C'est-tu vrai ? Avez-vous des oreilles de lapin sur votre télévision ?

— Ho ! Ho ! Vous ne verrez pas de neige dans l'écran de mon téléviseur, je vous le promets !

— Alors d'accord pour le chocolat chaud.

***

Mars

Pierre n'a reçu aucune missive de Violette. Peut-être son père est-il décédé ou bien a-t-elle pris la décision de demeurer à Saint-Célestin et de ne pas revenir au village de Saint-Pie ?

Le temps doux effectue son entrée à petits pas. Au crépuscule, à l'horizon, le soleil persiste de plus en plus. Déjà à l'orée des sous-bois, on peut distinguer le craquement des branches vu le retour des premiers passereaux qui ont déjà commencé à chanter à tue-tête. Un parfum subtil taquine l'odorat des agriculteurs qui s'apprêtent à retrouver le chemin de leurs pâturages pour épierrer et préparer les labours.

La veille, Pierre avait avoué à Béatrice qu'il ressentait pour elle plus qu'une simple camaraderie.

— Bien, voyons, toi... Vous !

— Béatrice... écoutez-moi s'il vous plaît.

— ...

— La journée du 25 décembre, vous étiez à mes côtés pour accueillir mes enfants. Depuis cet instant, j'ai envie d'être près de vous tous les jours. J'ai même pensé vous demander de venir habiter avec moi. Aussi, plus tard, nous pourrions nous marier. Qu'en pensez-vous ?

— Hein ? Je ne suis pas pour commencer une nouvelle vie à mon âge, saint citron ! Je vais avoir 40 ans au mois de juin ! Est-ce que vous faites de la fièvre, coudon ? Quelle sorte de pilules avez-vous commencé à prendre ?

— Ho ! ho ! Je ne suis pas malade et je ne prends aucun médicament, Béatrice. Écoutez-moi... Nous sommes encore jeunes et l'amour n'a pas de rides à ce que je sache...

— Vous savez bien que ça pas de bon sens ! Que diraient vos enfants ? Ils penseraient que nous sommes des écervelés, coudon !

— Les enfants seraient heureux, j'en suis persuadé. Vous ne ressentez rien pour moi ? Je croyais...

— Je vous trouve très gentil, mais je n'ai jamais fréquenté un homme de ma vie.

— Je ne vous demande pas de m'épouser tout de suite, quand même !

— Ce serait bien le restant des écus ! On se connaît à peine !

— Si nous débutions par sortir plus régulièrement comme les couples normaux le font ?

— Pour faire quoi ?

— Nous pourrions nous rendre au cinéma, au restaurant de temps en temps. Vous pourriez m'accompagner à l'église ? Aussi, j'aimerais vous inviter à Amos passer quelques jours chez mon fils Paul. Lui et sa femme seraient très heureux de nous recevoir.

— Êtes-vous viré fou, Pierre ? C'est à l'autre bout du monde, Amos ! Vous n'y pensez pas, huit heures d'autobus ?

— J'ai l'intention d'acheter une voiture bientôt.

— Vous voulez vous acheter une machine pour m'amener en Abitibi ?

— Pourquoi pas ? Nous pourrions nous rendre partout en voiture. Ce serait bien, il y a tant de beaux endroits à visiter !

— C'est un fait, je ne connais rien de notre province, à part la Mauricie et Saint-Pie. Vous aimeriez aller en Abitibi quand ?

— Possiblement, au mois de mai. Cela me donnerait quelques semaines pour passer mon examen de conduite et obtenir mon permis. Nous étions censés visiter Montréal et nous diriger vers l'Exposition universelle... on pourrait remettre ce voyage une autre fois ? Après notre visite en Abitibi ?

— C'est bien tentant...

— Oh !

— Wo ! Je n'ai pas dit oui, encore… Laissez-moi du temps pour y penser comme il faut.

— D'accord Béatrice. Au garage Texaco, monsieur Ménard est concessionnaire des Pontiac Buick et c'est le genre de voiture que je souhaiterais acquérir.

— Vous voulez vous acheter un char neuf ? Saint citron, vous êtes en moyens ?

— Oui, assez pour faire les paiements mensuels, avoue le voisin de Béatrice, en lui faisant un doux sourire.

— Ça va me prendre une valise, soda ! s'énerve Béatrice en couvrant ses joues de ses mains.

— Oh ! Vous me faites plaisir, Béatrice, vraiment. Mon garçon sera très heureux de nous accueillir avec sa femme.

***

Amos

Au début du XXe siècle, la région de l'Abitibi-Témiscamingue est vue comme une terre promise, un vaste territoire vierge. Venus des régions plus au sud, des milliers d'habitants s'y sont installés afin d'en exploiter les ressources naturelles. L'occupation du territoire d'Amos remonte à 1910 et l'émission de la première charte municipale eut lieu en 1914.

La température du jour est bien clémente pour prendre la route vers l'Abitibi.

Levée tôt, Béatrice s'est mise sur son trente-six. La veille, elle a fouillé dans son grand coffre brun aux poignées en fonte. Elle y a retiré une robe bleue agrémentée d'un collet de dentelle ivoire et un plastron brodé de mini fleurs blanches. Ce matin, méticuleusement, elle a préparé un panier de sandwichs au jambon, un petit plat de salade de chou, du fromage et quelques crudités.

— Saint citron, Pierre ! C'est toute une machine ça ! C'est un vrai char de l'année ?

— *Yes*, madame ! Une Pontiac GTO 1967 !

— Elle est si belle ! En plus, le mauve, c'est ma couleur préférée. Vous l'avez achetée ici à Saint-Pie ?

— Oui, oui, je l'ai commandée au garage de monsieur Ménard la semaine dernière. Je voulais vous faire la surprise, lui confie Pierre, en reculant pour admirer son acquisition.

— C'est bien réussi… Je n'en reviens pas !

— Qu'est-ce que vous tenez là, Béatrice ?

— Un panier de pique-nique pour manger en chemin.

— Nous aurions pu prendre une collation en route, voyons ! J'avais pensé arrêter à Mont-Laurier pour dîner.

— Pourquoi dépenser de l'argent pour rien ? Avez-vous peur que je vous empoisonne ?

— Ho ! Ho ! Loin de moi l'idée de penser ça de vous, chère dame. Ce petit repas sera délicieux !

— Par où on passe pour aller en Abitibi, Pierre ?

— Tous les chemins mènent à Rome comme on dit. Par Montréal, par le traversier de Sorel, ou que diriez-vous d'emprunter le pont Laviolette ? Nous avons tout notre temps, non ?

— Il est où ce pont ?

— C'est le nouveau pont de Trois-Rivières dont l'inauguration a eu lieu le 20 décembre.

— Ah ! Tu parles d'un nom, toi ! « La Violette », un nom de fleur ! Comme ma sœur, d'ailleurs !

— Non Béatrice... Laviolette s'écrit en un mot. Ils ont baptisé ce pont en l'honneur du fondateur de Trois-Rivières, Sieur Laviolette. Vous n'avez pas vu aux nouvelles de Radio-Canada ce qui s'est passé le 8 septembre 1965 durant la construction ?

— Non ! Qu'est-ce qu'il est arrivé ? Un accident ?

— Le pont s'est effondré sous la pression d'un camion qui transportait les matériaux. Douze ouvriers sont morts. Une grosse tragédie.

— Ah non ! Pauvres eux autres !

Le pont Laviolette, reliant la ville de Trois-Rivières Ouest, au nord, et la ville de Bécancour, au sud, constitue le seul lien entre les deux rives du fleuve Saint-Laurent sur une distance de 177 kilomètres. Il facilite les liaisons entre les régions de la Mauricie, du Cœur-du-Québec et des Cantons de l'Est.

Ils quittent Saint-Pie à 7 heures, et à 13 heures, Pierre gare sa voiture sur la rue Boutin face à la demeure de son fils Paul. Béatrice remarque immédiatement le joli petit nid à étages de style champêtre peint d'un bleu très pâle et orné de volets blancs. Pierre s'empare de son bras et, côte à côte, ils gravissent les marches de la grande galerie égayée des fleurs de mai. Au premier claquement du heurtoir, Paul ouvre la porte accompagnée de Léonie.

— Bonjour ! Entrez ! Vous avez fait bonne route ? Donnez-moi votre veste, mademoiselle Guindon... Bienvenue dans notre maison !

— Merci Paul, répond Béatrice, heureuse.

— Oui mon gars... le voyage fut bien agréable, l'informe Pierre, souriant. Mais... je ne te mentirai pas et t'avouerai que le parc, c'est assez long, n'est-ce pas Béatrice ?

— Quel parc ?

— Ho ! Ho ! Le parcours de 260 milles que nous avons emprunté sans faire un arrêt ! Je vous ai même montré des orignaux blessés sur le bord de la route.

— Oui, vous avez raison pour les orignaux. Pauvre eux autres. Ç'a bien été, je trouve... En plus dans un char neuf ! On a jasé, puis fumé. Pierre a apporté des huit *tracks* de Charles Aznavour et de Françoise Hardy. On a écouté de la belle musique.

— Ha ! Ha ! Depuis quand aimes-tu Charles Aznavour, papa ?

— J'adore cet interprète de la chanson française, Paul ! Surtout son succès *Emmenez-moi*... Ça donne envie de voyager.

— Oui c'est bien bon ! confirme Béatrice, en acceptant le verre de Cinzano que Léonie lui tend. Par exemple, j'aime plus Françoise Hardy quand elle chante *Rendez-vous d'automne*, mais sa nouvelle chanson, *Ma jeunesse fout l'camp*... On dirait qu'elle l'a composée pour moi, saint citron !

— Voyons mademoiselle Guindon ! la réprimande Léonie. Vous êtes dans vos plus belles années, vous avez toute la vie devant vous !

— Vous pensez ça, vous ! Quelle jolie maison ! Allez-vous me faire faire le tour, Léonie ?

— Certainement, chère Béatrice ! Mais à une seule condition, c'est que vous me tutoyez.

— OK, sourit Béatrice, heureuse.

— Super ! Après le souper, nous aurons toute la soirée. Venez au salon, j'ai préparé des canapés. Vous devez avoir faim après toute cette route.

— Vous n'auriez... tu n'aurais pas dû faire tout ça Léonie, mais en écoutant mon estomac qui gargouille, je crois bien que j'ai un petit creux.

Paul est heureux de recevoir son père chez lui à Amos. Souvent, il se remémore le temps, ou du haut de ses six ans, il fréquentait la petite école du rang à Saint-Pie. L'hiver, quand la température glaciale persistait, son père attelait la jument et quittait la maison plus tôt, pour le conduire en classe en carriole avant de se rendre à son travail sur la rue Martin. Durant la saison estivale, contrairement aux autres enfants du quartier, Paul et son frère Pierre bénéficiaient du privilège d'assister aux courses de chevaux sur les pistes de l'hippodrome de Saint-Pie dans le Petit rang Saint-François. Ce dernier, anciennement appelé Le rond du club de course de Saint-Pie, érigé en 1858 par monsieur Ambroise Cusson, ce dernier qu'on surnommait « Job ». Dommage que leur mère Francine les ait quittés si subitement. Aujourd'hui, Paul ressentirait une joie profonde de leur annoncer qu'ils seraient bientôt grands-parents.

— Tu es sérieux, Paul ? Un bébé Côté est en route ?

— Oui, papa. Nous sommes très heureux, n'est-ce pas ma biche ? confirme Paul en enlaçant sa femme pour l'embrasser doucement sur la joue. J'ai tellement hâte de le prendre dans mes bras ce petit poupon !

— Moi aussi..., renchérit le futur grand-père, les yeux pleins de larmes.

***

Le séjour passé en Abitibi-Témiscamingue fut agrémenté d'excursions enrichissantes et des plus fastueuses. Béatrice et Pierre ont visité des endroits magnifiques tels la Cathédrale d'Amos, de style romano-byzantin, érigée en 1922, le pont couvert Émery-Sicard construit en 1946, ce dernier qui enjambe la rivière Harricana sur la 1re rue dans le secteur du Pays des forêts, et ils ont terminé leur visite au Musée de La Poste.

Un soir, ils ont profité d'un souper bien arrosé au Château Inn sur l'avenue Authier, le lieu de travail de Paul en semaine en tant que barman.

La veille de leur départ, Pierre avait raccompagné Béatrice sur le seuil de sa chambre à coucher et lui avait caressé doucement la nuque en l'embrassant. Quel instant magique ! Béatrice devenue écarlate ne savait si elle devait s'effondrer ou bien se donner à cet homme si bon.

— Qu'est-ce qu'on vient de faire là, Pierre ?

— Nous venons de nous bécoter tendrement, Béatrice. Vous n'avez pas apprécié ?

— Pierre... on n'aurait pas dû. Je suis toute à l'envers, la tête me tourne !

— Chut... Accordez-moi le droit de vous aimer comme vous le méritez.

— Pas tout de suite !

— Mais pourquoi ?

— Je ne suis pas prête à ça pantoute ! C'est trop vite pour moi.

— Parce que vous ne l'avez encore jamais fait ? C'est de cela, dont vous avez peur ?

— ...

— Béatrice... je vous aime. Je vous aime vraiment.

— Moi aussi... mais laissez-moi du temps. Je trouve que ça va trop vite.

— Jamais je ne vous brusquerai... j'ai trop de respect pour vous.

— J'ai bien aimé votre baiser.

— Ho ! Ho ! Je peux recommencer ?

Sans attendre sa réponse, Pierre l'enlace pour la bercer en lui confiant d'une voix enivrante :

— Cela fait plusieurs semaines que j'éprouve beaucoup d'affection pour vous, je peux encore patienter. Je ne voudrais pas bousculer votre vie, même si j'ai une envie folle de vous faire mienne, là, immédiatement, ce soir.

CHAPITRE 8

L'attente

Avril 1968

Quatre saisons viennent de passer et Béatrice ne s'est toujours pas décidée à ouvrir grand son cœur. Malgré sa déception, Pierre est prêt à patienter et persévérer.

Certes, elle se dit ne pas avoir accompli l'effort pour se laisser gâter comme elle le mérite. « J'aurais pu suivre Violette plus régulièrement quand elle m'invitait à sortir avec elle. Je serais moins niaiseuse aujourd'hui. Je n'ai pas envie d'avoir l'air d'une débutante, soda ! Si je fais l'amour avec lui, il va être obligé de tout me montrer, puis ça me tente pas pantoute, d'avoir l'air d'une vraie niaiseuse. »

Béatrice n'a tout simplement pas eu l'occasion de vivre une relation amoureuse et elle était inquiète. L'horloge du moment tourne si vitement, elle ne peut la rattraper. Elle se monte des scénarios, mais se retrouve toujours au point de départ : le temps où jadis elle n'avait pu prendre la place qui lui revenait pour s'initier à l'amour véritable.

Les moments de présence de Pierre furent écourtés depuis le jour où ils se sont étreints lors de leur visite à Amos. Béatrice n'a pas été conviée à l'accompagner pour se rendre en Abitibi, à Saint-Hyacinthe ou à Saint-Dominique. Le soir de la nouvelle année 1968, elle a décliné son invitation prétextant une céphalée.

Quant à Violette, elle n'a pas donné de ses nouvelles depuis sa dernière missive ou elle annonçait à Pierre qu'elle demeurerait à Saint-Célestin pour la convalescence de son père Eugène. Pierre l'a oubliée, car Béatrice occupe ses pensées à cœur de journée.

— Tiens ! Vous avez décidé de sortir de votre maison, Béatrice ?

— Je n'ai pas le choix ! Y a pas personne qui va nettoyer mon terrain à ma place, hein ?

— Je pourrais vous aider si vous vouliez ?

— Vous êtes bien serviable, mais j'ai juste ça à faire pour passer mon temps, vous comprenez ?

— C'est vous seule qui pourriez changer votre style de vie. Je trouve que vous ne faites pas beaucoup d'efforts pour changer votre routine,

— Pourquoi vous dites ça ? demande Béatrice en se retournant, surprise par les paroles suggestives de son voisin.

— Vous bêchez continuellement dans votre cour ! Vous ne profitez de rien, Béatrice ! Sortez un peu, voyons !

— Vous faites quoi vous, à part vos semaines de travail à la meunerie Grisé ?

— Le dimanche, j'assiste à la messe de dix heures et je me rends aux quilles en après-midi.

— Mais le samedi, vous sortez ? Il n'y a jamais de lumière chez vous !

— Vous me surveillez, maintenant ?

— Pas pantoute ! Je reste à côté de chez vous... Je ne veux pas écornifler, mais je vois bien quand vous êtes chez vous, ou pas ! Sinon, je penserais que vous passez toutes vos veillées à la noirceur pour économiser l'électricité.

— Vous avez oublié que j'ai des enfants et que j'ai une voiture pour leur rendre visite quand j'en ai envie.

— Comment ils vont vos enfants ?

— Ils vont bien ! Je peux aussi vous annoncer que je suis grand-papa d'un garçon qui s'appelle Pascal.

— Oh, c'est vrai ? Ç'a bien été pour l'accouchement de votre bru Léonie ?

— Oui. Il me ressemble comme deux gouttes d'eau, cet enfant-là ! Un vrai p'tit Côté !

— Il est trop petit pour que le monde commence à faire des comparaisons avec lui !

— Je vous dis qu'il me ressemble ! Il a les yeux verts et les cheveux noirs, comme moi !

— Ah bon ! Votre autre garçon travaille encore à l'hôpital de Saint-Hyacinthe ?

— Bien oui ! Par contre, sur la rue Principale à Saint-Dominique, ça ne va pas fort fort comme on dit, entre ma fille Pierrette et son mari Marc-André.

— Comment ça ? Ils se sont chicanés ? Ils vont se séparer, coudon ?

— Mon gendre a perdu son emploi et il n'arrête pas de demander à Pierrette de m'emprunter de l'argent. Elle m'a rapporté qu'il ne faisait rien pour se trouver un nouveau travail. La semaine dernière, je lui ai téléphoné pour l'informer qu'il y avait un poste d'ouvert à la fabrique de chaussures pour hommes et il ne s'est pas présenté pour une entrevue. Je vous dis qu'il ne fait pas beaucoup d'efforts. Assez peu pour que je me demande s'il n'est pas un peu paresseux.

— Eh bien ! C'est où cette usine-là ?

— C'est la manufacture Unico Shores sur la rue Roy, coin Isidore.

— Ils engagent des femmes ?

— Vous voulez travailler, Béatrice ?

— Je cherche... Mon bas de laine est entamé pas mal. Il faut que je commence à couper dans le gras, vous comprenez ? Je ne pourrai pas vivre éternellement de cette manière-là. Il est temps pour moi de partir à la chasse à l'emploi. Il faut que je commence à penser à mes vieux jours, si je ne veux pas finir comme une itinérante, pis demander la charité à tout le monde.

— Ce serait dur pour vous, cet emploi. Pourquoi n'allez-vous pas donner votre nom au restaurant Julien Plante sur la rue Saint-Paul ? Monsieur Plante a besoin d'une serveuse et d'un cuisinier. C'est un travail payant, en plus, vous recevez des pourboires des clients.

— Hein ? J'ai-tu l'air d'une *waitress* ? Puis, je suis trop vieille pour servir le monde ! Je vais avoir 41 ans au mois de juin ! Vous savez bien que ce monsieur-là doit chercher juste des petites jeunesses bien roulées qui se démènent sans bon sens !

— Voyons ! Vous êtes une belle femme ! Vous ne paraissez pas votre âge ! Je suis certain que vous obtiendriez le poste.

— Vous dites ça pour me faire plaisir, vous là.

— Je le pense, Béatrice.

— Vous êtes bien fin. Mais j'aimerais mieux me trouver du travail dans d'autres choses, comme l'épicerie Métro par exemple. Ce n'est pas loin, c'est sur la rue Notre-Dame ici.

— Je pourrais demander à monsieur Harnois s'il cherche du personnel, je le connais assez bien.

— Vous feriez ça pour moi ?

— Certain ! Vous pourriez aussi voir au dépanneur Saint-Pierre sur la rue Saint-François ou celui de Marcel Dupuis sur la rue Roy.

— Un dépanneur ?

— Qui sait, ils pourraient avoir besoin d'une caissière, ou d'une étalagiste ?

— Ah ! lui répond Béatrice, faisant la moue. Je ne sais pas si j'aimerais ça placer des cannages toute la journée sur les tablettes.

— C'est à vous d'y voir, Béatrice... Je dois vous laisser, maintenant. Je vais au salon funéraire.

— Y a quelqu'un de mort au village ?

— Bien oui... Notre doyen monsieur Edgar Thibodeau nous a quittés vendredi dernier. Vous n'avez pas lu l'annonce dans le bulletin paroissial de l'église ?

— Non, j'ai pas vu dans le bulletin paroissial, je ne vais pas à l'église, si vous vous souvenez bien. Il est sur quelle rue le salon mortuaire ?

— Saint-Paul...

— Si je comprends bien, vous ne parcourez jamais ce feuillet que je vous glisse dans votre boîte aux lettres tous les dimanches ?

— Ah ! Ce livre-là ? Ça devait être écrit bien petit, c'est pour ça que je n'ai pas vu le décès de ce monsieur.

— Écoutez, Béatrice : « Monsieur Thibodeau sera exposé au salon funéraire Despars et Petit sur la rue Saint-Paul, le 20 avril à 10 heures. »

— Ah ! Après le salon mortuaire, vous allez au cimetière ?

— Non, pourquoi ?

— Vous pourriez venir souper avec moi ? Je vous invite pour un repas à la bonne franquette.

— Ai-je bien compris ? Vous m'invitez dans votre maison ?

— J'ai-tu l'air d'une menteuse ?

— Ho ! Ho ! Si je vais chez vous, ce ne serait pas un danger ?

— Vous pensez que je vous invite chez moi pour forniquer ? demande Béatrice, le visage écarlate. Vous autres, les hommes ! Vous pensez juste à ça, forniquer !

— Voyons, c'est pour rire, Béatrice... Jamais que je ne vous manquerais de respect et vous le savez bien, chère dame.

— J'aime mieux ça ! Moi, j'ai envie de souper avec vous. Après on pourrait piquer une bonne jase en jouant une partie de cartes. Puis comme le dicton le dit : quand on veut la fille, on caresse le bonhomme. Vu qu'il n'y a pas de bonhomme dans ma cabane, bien ça risque pas d'arriver. Hi ! Hi ! Et si vous avez des idées noires, bien vous allez passer des nuits blanches. Ce sera à vous de vous battre avec votre insomnie.

— Ho ! Ho ! Qu'est-ce que vous mitonnerez pour le repas ?

— J'avais pensé faire une quirche au jambon.

— Vous voulez dire une « quiche », Béatrice ?

— Vous m'aviez comprise, Pierre ! Voyez-vous, je ne serais pas bonne pour travailler comme serveuse, je ne suis même pas capable de prononcer les mots comme du monde. Les clients se moqueraient de moi.

— Tout s'apprend, Béatrice... c'est comme...

— Comme ?

— Laissez tomber... Je vais prendre une douche et me rendre au salon funéraire. Je serai chez vous à cinq heures. Est-ce que ça vous va ?

— C'est correct, ça.

Comment se vêtir pour cette soirée en toute amitié ? Béatrice monte à sa chambre pour s'emparer de la mini clef enfouie au fond de sa boîte à bijoux pour débarrer le grand coffre brun placé au pied de son lit. Elle prend dans ses mains une robe bustier couleur amande accompagnée d'un boléro violacé datant de 1940. D'accord, la mode a évolué, mais cet ensemble est d'une féminité évidente. À quoi joue-t-elle ? Avait-elle en tête de séduire son voisin ?

À la suite d'un bain aromatisé à la vanille dont elle avait trouvé le flacon au fond du grand meuble de rangement ayant appartenu à sa jumelle, elle accroche à son cou un petit collier de perles nacrées et entoure son poignet d'une chaîne argentée. Ses yeux maquillés de poudre bleue accompagnent ses pommettes fardées d'un soupçon de rose. Ouf ! Quelle femme ! Au son du claquement du heurtoir au moment même où elle s'apprêtait à se départir de sa robe pour revêtir une jupe noire et un chandail à col roulé rouge, elle dut se raviser: Pierre venait de se manifester pour la troisième fois.

— Souffrance, Béatrice!

— Quoi?

— Wow! Vous êtes si belle! Je n'en reviens tout simplement pas!

— Vous trouvez? demande Béatrice, éprise d'une gêne palpable.

— Vous ressemblez...

— Pas à votre cousine de Forestville, j'espère?

— Heu... non... je dirais à une dame de la haute société.

— Oh! Vous êtes pas mal vous aussi, dans votre costume gris. Il vous va vraiment bien avec cette cravate verte.

— Vous êtes gentille, merci. Je n'ai pas l'occasion de le porter souvent, il est un peu démodé.

— Bien non, y'é bien beau. Y en a-tu du gris cette année? Saint citron, une vraie farce!

— Où avez-vous remarqué que le gris est une couleur tendance de cette année, Béatrice? Vous qui ne dépassez jamais les limites de votre terrain. Je ne vois pas non plus de magazines de mode dans votre maison.

— Me prenez-vous pour une nounoune! J'ai la télévision! Même si elle est en noir et blanc, je vois bien qu'il y a beaucoup de monde habillé tout en gris!

— Ho! Ho! vous avez raison.

— Venez vous asseoir, je vous sers un apéritif.

— Oh là là! Quand êtes-vous allée chercher ce Cinzano, Béatrice?

— Je ne suis pas allée le chercher ! J'ai demandé à Angélus de m'en livrer un !

— Qui ?

— Angélus Frégeau, le livreur de l'épicerie. Je lui donne ma liste d'emplettes et il est bien bon pour choisir mes légumes et mes fruits.

— Ah ! acquiesce Pierre en s'assoyant sur la causeuse victorienne et en déposant son verre sur la table de noyer aux pattes cabrioles. Comment avez-vous fait pour vous procurer cette liqueur ? La Régie des Alcools n'est pas en grève ?

— Hi ! Hi ! J'ai mes secrets.

— Eh bien !

Béatrice avait déposé des serviettes de table et un plateau de crudités sur la table centrale.

— Ce n'est pas possible comme vous sentez bon, Béatrice ! Quel est votre parfum ?

— Heu... Je ne mets pas de parfum d'habitude. J'ai trouvé cette bouteille dans mon gros coffre brun en haut. Il appartenait à ma mère.

— Vous voulez dire... que vous avez volé son flacon de parfum juste avant de déménager à Saint-Pie ?

— Bien oui ! Je ne suis pas fine, hein ? Ma mère Marie-Blanche ne peut pas s'en être aperçue, elle collectionne l'eau de Cologne en quantité industrielle. J'ai juste pris quelques petits flacons.

— Ho ! Ho ! Cette fragrance me rappelle...

— Elle vous rappelle quoi ?

— Hum... Le muguet que j'ai semé l'automne passé à l'arrière de ma maison.

— Ça y ressemble, mais ce n'est pas ça ! Creusez-vous les méninges un peu et vous allez deviner.

— J'ai bien beau chercher, mais je ne trouve pas. Alors, quelle est cette odeur ?

— De la lavande, ce n'est pas pareil, mon cher !

— Il m'ensorcelle ce parfum.

— Pierre ! Arrêtez-moi ça tout de suite, vous là !

— Désolé... Que diriez-vous après le repas si je vous invitais à prendre le digestif au petit bar au coin des rues Cécile et Roy ?

— Au bar ? C'est quelle sorte de club ça ? Pas un trou, j'espère !

— Bien non, voyons... Un petit endroit bien chaleureux. Il est juste à côté du jeu de croquet.

— Ah ! On verra après souper, OK ?

— D'accord... Vous avez déjà joué au croquet, Béatrice ?

— Non, jamais. Mon père jouait avec un de ses voisins quand j'étais petite, monsieur Chouinard. Ça finissait toujours par une chicane.

— Comment ça ?

— Monsieur Chouinard gagnait tout le temps... mon père était très mauvais perdant et il injuriait monsieur Chouinard, qui dans le fond, était un bon vivant qui ne méritait pas les insultes de mon paternel.

— Ah bon ! C'est triste...

— Pour le croquet, on irait quand ?

— Nous pourrions nous y rendre demain après-midi ?

— C'est une idée... C'est un vieux sport le croquet, hein ?

— Ouf... Il date du moyen âge. À l'époque, on le nommait le jeu de Mail. La maille était un maillet pour envoyer la balle sous l'arceau de paille. Aujourd'hui, c'est différent avec le croquet moderne.

— Ç'a changé en titi ! Je vais aller sortir ma quirche... quiche du fourneau. Aimez-vous les asperges et le chou-fleur ?

— Oui, oui... avez-vous du Cheez Whiz ?

— Pour quoi faire ?

— Pour mettre sur les légumes !

— Vous me dites que vous aimez les légumes quand vous les abriez avec ce fromage-là ?

— Que voulez-vous ! dit-il en s'avançant vers elle pour déposer ses mains sur ses épaules. C'est la façon dont je mange mes légumes.

— Il faut que j'aille voir à mon fourneau.

— Pourquoi vous être vêtue ainsi, si ce n'est pas pour me séduire, Béatrice ?

— J'en ai fait un peu trop, hein ? Je vais aller me changer, après le souper.

— Non... vous êtes vraiment ravissante. Savez-vous ce dont j'ai envie ?

— Je pense que oui..., lui glisse Béatrice d'une voix un tantinet voluptueuse.

— J'aimerais goûter vos lèvres.

— Oh ! Pierre ! Je ne sais pas si on devrait... Ça fait pas longtemps qu'on se connaît, vous et moi.

La quiche au jambon patientera encore un moment. Pierre souleva Béatrice dans ses bras pour escalader les marches, menant au paradis.

— Pierre ! Il faut redescendre, le souper va brûler !

— Ce n'est pas grave. Vous avez du pain et du Cheez Whiz…

Pierre la dépose tout doucement sur le lit.

— Je vous désire, Béatrice… vous goûter…

— Pierre ! Je suis pas prête à ça, vous comprenez ?

— Chut ! Vous aimerez, c'est sensuel et très chaud. Laissez-moi faire, ma princesse.

Doucement, il lui retira sa robe, ses bas de soie et son soutien-gorge. Quelle surprise pour ce dernier, de découvrir une femme merveilleusement belle.

— Vous me rendez malade, Béatrice ! Vous êtes… ouf ! Je vais tracer un petit chemin humide sur votre corps avec ma bouche. Vous voulez ?

— Oui, Pierre, mais pas si vite !

— Ho ! Ho ! Je parie que quand j'aurai terminé de vous savourer, vous en redemanderez encore et encore.

— On verra bien, répond Béatrice, en se recroquevillant, gênée.

— Non ! Restez dans cette position.

Pierre glisse doucement sa langue sur son ventre et lorsqu'il atteint le monticule de ses seins arrondis, il lui titille les mamelons, ce qui la fit frémir de plaisir.

— Oh ! C'est tellement…

— Bon ? Attendez, je prends un léger raccourci.

— Vous ne pouvez pas faire ça, Pierre ! Non, pas là, voyons donc !

— Je peux, car c'est ce petit bouton rose qui va éclore et vous emmener dans un endroit que vous n'avez jamais visité auparavant.

Béatrice se met à gémir en haletant de façon saccadée. Une décharge électrique la propulse dans un néant inconnu ou elle perd toute notion du temps.

— Oh ! Oh ! Qu'est-ce qui s'est passé ?

— Vous êtes grimpée au septième ciel ma douce... et là, je vais vous faire entrer dans la Voie lactée.

Il entre en elle. Dans un mouvement de va-et-vient, Béatrice agrippe ses jambes autour de sa taille et se cramponne à ses larges épaules. Où se trouve-t-elle ? Dans un autre univers ?

Éclairée par la lumière tamisée du crépuscule, Béatrice ramène la couverture sur son corps dénudé et se met à sangloter.

— Oh ! Je vous ai fait mal, Béatrice ? Ai-je été si maladroit avec vous ?

— ...

— Béatrice ! Je ne voulais pas... Répondez-moi, je suis tout à l'envers !

— Pierre... qu'est-ce qui s'est passé ? Pourquoi je tremble comme ça ?

— C'est que vous venez de planer dans un autre monde, ma douce Béatrice... Vous étiez si belle, si attirante !

— Je ne vous ai rien fait à vous... J'ai même pas eu le temps de vous toucher, ni même vous regarder.

— Une étape à la fois... Rien ne presse.

— J'aimerais vous faire l'amour moi aussi... mais je ne saurais pas par quel bout commencer...

— Je vous initierai Béatrice. Ce soir, c'est moi qui avais soif de votre corps.

— Pierre...

— Chut... Je voulais vous faire voyager et vous avez suivi le chemin qu'il fallait prendre. Ma douce, si douce Béatrice.

Chapitre 9

À contre-courant

26 septembre 1968

De petites taches jaunes et orangées commencent à poindre sur le feuillage des grands végétaux. Le temps est venu d'accueillir les chaudes couleurs de l'automne.

Les derniers fruits s'acharnent à s'agripper aux branchages des pommiers, mais en vain, ils rejoignent un à un le sol humidifié. Pour les citoyens, la saison des couleurs est semblable à un deuil, car le décor s'estompe doucement et la nature sommeille dans un climat frisquet. Par contre, les adeptes des sports d'hiver sont impatients de renouer avec la belle saison hivernale.

Au restaurant Labonté sur la rue Notre-Dame, situé à la sortie du village de Saint-Pie, Pierre avoue son inquiétude à Béatrice.

Pourquoi cette dernière se montre-t-elle si distante après avoir passé cinq mois à le côtoyer ? Depuis plusieurs jours, elle ne vit que dans son petit monde à elle. C'est comme si elle avait fait une croix sur leur idylle.

Pourtant, la saison des fleurs représente pour elle des moments de découvertes. Si elle pouvait, elle allumerait le firmament tous les soirs pour ne pas s'assoupir. Sur l'oreiller, elle regardait dormir Pierre jusqu'à l'aube. Le jour, comme un prince charmant, ce dernier lui faisait sillonner des sites mirobolants. Le 28 juin, ils s'étaient rendus dans la grande ville de Québec pour l'inauguration du Festival d'été. Ils y avaient séjourné trois jours dans le but d'explorer le Château Frontenac, les Plaines d'Abraham et la Citadelle. Faute de ne pas avoir apprécié l'Exposition universelle de 1967, ils avaient humé les tapis et les mini bosquets parfumés du Jardin botanique de Montréal et déambulé main dans la main sur le mont Royal.

Le 22 septembre dernier, ils avaient assisté au circuit Mont-Tremblant–Saint-Jovite pour le premier Grand Prix de course automobile disputé au Québec. Bien sûr, occasionnellement, ils se rendaient à l'hippodrome de Saint-Pie; mais quelle joie ce fut pour eux de visiter Mont-Tremblant occupant la partie centrale de la MRC des Laurentides !

— Je ne vous reconnais plus, Béatrice... Vous aurais-je fait de la peine sans m'en rendre compte ? Vous m'évitez continuellement ! Que se passe-t-il ?

— Vous ne m'avez rien fait, Pierre. Je suis triste, c'est tout. Ça va passer.

— Est-ce que vous seriez en train de sombrer dans la mélancolie ?

— Hein ? Voyons vous ! Je ne suis pas dépressive ! Je vis juste une mauvaise passe, ça devrait se replacer.

— Alors, pourquoi avoir l'air aussi abattue ? Je ne vois plus votre sourire ! Où l'avez-vous caché ?

— Je suis une mauvaise fille... Je ne vous ai pas tout dit sur mon passé.

— Pourquoi une mauvaise fille ?

— Je suis coupable de bien des affaires. Si je vous les raconte... jamais vous ne m'accorderiez votre pardon ! Vous partirez en courant avec la ferme intention de ne plus me revoir et ça me ferait beaucoup de peine de ne plus vous voir.

— Je ne vous crois pas ! Voulez-vous m'en parler, Béatrice ?

— Je ne vous ai pas tout dit le jour de notre première rencontre. Je vous dois des explications.

— Mais tout cela n'a pas d'importance ! Ce qui se passe entre nous deux aujourd'hui n'a rien à voir avec ce qui s'est passé auparavant !

— Oh que si !

— Béatrice... si ce n'est que pour me parler de vos souvenirs d'enfance à Saint-Célestin, sachez que je m'en contrefiche, nous sommes aujourd'hui assis ensemble à cette table et rien d'autre ne compte à mes yeux. Je suis bien avec vous et vous devriez faire fi de votre passé malheureux.

— Regardez à l'écran, ils présentent un communiqué spécial.

Ayant entendu la remarque de Béatrice, le propriétaire du restaurant éleva le son du téléviseur.

« Dans des circonstances tragiques, presque identiques, à sept ans d'intervalle, exactement en 1959, on se le rappellera ; le chef de l'Union nationale et premier ministre du Québec, monsieur Maurice Duplessis mourait subitement à Schefferville. Aujourd'hui, à Manicouagan, quelques heures à peine avant les cérémonies qui devaient marquer l'inauguration du Grand barrage de Manic-5, une nouvelle d'abord imprécise... puis de plus en plus confirmée, a frappé tous ceux qui au lever s'apprêtaient à assister aux cérémonies. Le premier ministre de la province de Québec l'Honorable Daniel Johnson est mort subitement, hier, à 6 heures du matin[1]. »

— Quoi ? s'écrie Pierre, en se levant de son siège qui heurta le plancher de linoléum.

« Au moment où nous nous parlons, nous doutons même que tous les habitants de Manic ne soient déjà au courant. Hier pourtant, Hydro Québec, fier de cette réalisation qui occupe le premier rang dans le monde, donnait un banquet. La table d'honneur réunissait, en plus de monsieur Johnson, le chef de l'opposition, monsieur Jean Lesage et le chef du mouvement Souveraineté-Association, monsieur René Lévesque, ministre des Richesses naturelles. C'est un coup de foudre qui est tombé ce matin[2]. »

— Je n'en reviens pas !

Le propriétaire du restaurant reprend :

— Vous n'avez pas lu *La Presse* ce matin, monsieur Côté ? C'était à la une.

— Bien non, monsieur Plamondon ! Vous ne saviez pas, Béatrice ?

---

1. Librement inspiré du reportage de la chaîne télévisuelle de Radio-Canada.
2. Inspiré des paroles de Jean Loiselle, secrétaire du premier ministre Daniel Johnson. Radio-Canada.

— Pas pantoute ! Je viens de l'apprendre en même temps que vous.

Monsieur Plamondon leur tendit le quotidien.

« Monsieur Daniel Johnson avait subi plusieurs arrêts cardiaques avant son décès. Il était entouré de médecins depuis le début de son mandat. La veille de son départ pour l'inauguration du plus grand barrage à voûtes multiples et à contreforts au monde, Manic-5, à Baie-Comeau, il déclarait : "Je m'en vais mourir debout, cette semaine." »

— Je suis renversé ! Notre Daniel Johnson de Saint-Pie est mort ! Pincez-moi quelqu'un !

— Continuez à lire, Pierre…

« Pendant son mandat, il a créé le réseau de l'Université du Québec, Radio-Québec, les cégeps, la Commission d'études Dorion sur les frontières du Labrador, la société d'habitation du Québec, sans oublier le lancement du chantier de Manic-5. Il sera exposé en chapelle ardente à l'Assemblée législative. »

— Il avait quel âge, notre premier ministre Johnson ?

— Juste 53 ans. Il était bien trop jeune, cet homme !

— Oh ! Un homme qui avait toute la vie devant lui. C'est bien triste pour sa famille aussi.

— Oui, Béatrice. Quand on dit que la vie ne tient qu'à un fil… Les obsèques auront lieu le 30 septembre à Québec. Oh ! J'ai la chair de poule !

— Quoi ? Pierre… Vous me semblez tout chaviré.

— Les funérailles du premier ministre Daniel Johnson seront chantées ici à l'église de Saint-Pie le 1er octobre. Voilà un baume sur ma tristesse.

— Voyons vous ! La rue Notre-Dame va être noire de monde cette journée-là, saint citron !

— Je vous lis ce qui est écrit, Béatrice. Écoutez… « Le corps de monsieur Johnson y sera exposé avant le service funèbre. Il sera inhumé au cimetière municipal de Saint-Pie. »

— C'est lui qui doit avoir demandé ça sur son testament d'être enterré dans sa ville.

— C'est bien sûr ! Je suis tout à l'envers. Qu'est-ce que vous vouliez me dire tout à l'heure ?

— Ouf ! Après la nouvelle qu'on vient d'apprendre là, je ne suis pas certaine de vous dévoiler tout ça. Ça peut attendre une autre fois.

— C'est si grave, ma chère Béatrice ? Vous m'inquiétez, vous là !

— Oui, assez grave… Je ne pensais pas que je serais tombée amoureuse de vous… Si j'avais pu deviner mon avenir en déménageant à Saint-Pie, jamais je ne…

— De quoi parlez-vous ? Vous m'intriguez, là.

— Je vais vous en parler plus tard. C'est assez d'émotions pour aujourd'hui. Nous y allons, Pierre ?

— C'est comme vous voulez, mais j'ai hâte de savoir ce qui vous tracasse autant. S'il vous plaît, en attendant, retrouvez donc votre beau sourire. Il est disparu de votre beau visage et ça m'attriste, croyez-moi.

***

Le 1er octobre 1968, plusieurs milliers de personnes, venant de partout au Québec, se présentèrent sur la rue Notre-Dame, pour rendre un dernier hommage au résident de Saint-Pie. Ce grand homme ayant été député du comté de Bagot de 1946 à 1968 et premier ministre de la province de Québec, de 1966 à 1968.

Le 26 septembre 1968, le jour même de son décès, le barrage Manic-5 devint le barrage Daniel-Johnson.

***

Dans la deuxième semaine du mois d'octobre, Béatrice décide de laisser parler son cœur. Elle ne doit plus cacher ses secrets à Pierre, ce serait un manque de respect après toutes les belles journées passées en sa compagnie.

— Est-ce que vous voulez un café, Béatrice ?

— Non merci, Pierre, je vais finir mon verre de lait. Il était délicieux votre spaghetti.

— Merci ! Une recette de ma vieille mère. Je salivais lorsque je rentrais de l'école et que ma mère faisait sa délicieuse sauce.

— Pierre...

— Oui ?

— Je veux vous parler..., l'informe la jeune femme en inclinant son regard sur les assiettes achevées.

— Ça tombe bien, moi aussi !

— Ah bon ! Alors, commencez...

— Non, vous, commencez !

— Envoyez donc. Ce sera plus facile pour moi après. Après, je vous fais la promesse de tout vous dire, promis.

— Comme vous voulez...

Comment lui expliquer qu'il a côtoyé sa sœur Violette et qu'elle a habité à Saint-Pie sur la rue Roy?

— Voilà...

— Assoyez-vous donc, on dirait que vous êtes vissé sur le plancher.

Après avoir chevauché une chaise et plié ses bras sous son menton, il se lance :

— Voilà... votre sœur Violette...

— Ma sœur Violette est morte, Pierre. C'est ce que je voulais vous dire depuis bien longtemps, ce dont je n'avais jamais été capable.

— Quoi ?

— Ma jumelle est dé-cé-dée !

— Non, voyons ! Elle a déménagé ici à Saint-Pie, presque en même temps que vous...

— M'entendez-vous, Pierre ? Ma jumelle est MORTE !

— Quand l'avez-vous appris ? C'est pour cette raison qu'elle n'est pas revenue... Elle était censée revenir au village après la convalescence de votre père.

— Pierre... Écoutez-moi, c'est à mon tour de parler.

— Mais... je l'ai déjà...

— Pierre ! Violette est enterrée au cimetière de Saint-Célestin !

— Comment pouvez-vous savoir ? Votre mère vous a écrit ?

CHAPITRE 10

Saint-Célestin

L'érection canonique de Saint-Célestin fut signée le 4 juillet 1850 par l'Archevêque de Québec, monseigneur Flavien Turgeon. La paroisse doit son nom au pape Célestin 1er, qui vécut au Ve siècle.

Saint-Célestin est située à mi-chemin des centres urbains de Victoriaville, Drummondville et Trois-Rivières. Ce petit village est à vocation agricole. Des fermes sont exploitées de père en fils depuis plusieurs générations. Il existe un site historique datant de 1905. Un pont couvert surplombe la rivière Blanche et la tour des Martyrs fut inaugurée en 1897. Cette tour représente le seul sanctuaire au monde dédié au culte des reliques. Elle contient plus de 6200 restes sacrés ; ossements, vêtements, cheveux, linges, chairs, instruments de martyrs, sang, cendres ou encore différents objets qui ont servi ou qui ont été en contact avec le corps des saints comme l'os de l'avant-bras de sainte Anne, la mère de la bienheureuse Vierge Marie. D'énormes peupliers dominent l'emplacement de ce temple érigé sur le rang Saint-Joseph.

***

Le 10 septembre 1939, le Canada déclare la guerre à l'Allemagne et les 19, 20 et 21 août 1940, les Canadiens âgés de 16 ans sont tenus de s'inscrire dans les bureaux de leur circonscription.

Le 12 juillet, le gouvernement annonce que les premiers appelés sous les armes sont les hommes célibataires. Cependant, c'est écrit dans le ciel qu'Eugène Guindon ne se rendra pas au front. Pour ces hommes, la veille de la décisive fut la course au mariage. Seulement à Montréal, 106 couples s'unirent au Stade de Lorimier. Cet événement amena plusieurs inconvénients; les fleuristes se retrouvèrent dépouillés dans leur totalité, les chauffeurs de taxi se déplaçaient dans tous les coins de la ville, les magasins et les bijouteries se sont vus envahis par les futurs mariés. Les églises furent saturées durant toute la journée et toute la soirée. Naturellement, pour les nouveaux mariés, le voyage de noces fut reporté à plus tard.

Cela fait 16 semaines qu'Eugène Guindon exerce le métier de draveur sur la Saint-Maurice. Il enjambe les troncs de bois de mai à septembre. Son activité à la fonte des glaces est de veiller au transport des billots coupés durant l'hiver et à ce que ces derniers suivent le cours de la rivière pour ne pas s'échouer sur la grève. Il surveille également la formation d'embâcles dans les passages étroits et les rapides.

Les draveurs travaillent dans des conditions difficiles. De longues journées à rouler sur ces grumes flottantes et à se jeter dans l'eau gelée jusqu'à la ceinture.

Parfois, des ouvriers heurtent un corps mort, ces dépouilles ayant rencontré un obstacle invisible pour se retrouver dans la vrille d'un remous.

Vu la guerre, les temps sont difficiles sur la terre des Guindon dans le rang Pellerin à Saint-Célestin. Marie-Blanche travaille tout l'automne pour la mise en conserve des marinades et des fruits. Elle dépose dans de grosses jarres en grès, des cornichons et des concombres pour les maintenir dans un vinaigre ou dans un autre récipient rempli d'eau et de sel, assez concentré pour qu'un œuf puisse y flotter. Au mois de juillet dernier, elle a empoté dans des bocaux en terre cuite des confitures de fraises et de la gelée de fruits qu'elle a fait mijoter avec du sucre. Le bouillon restant a été utilisé pour faire des coulis pour arroser la rare crème glacée qu'elle brasse l'hiver et qu'ils dégustent immédiatement. Pour mettre les légumes du potager en pot, elle a recours à une « emboîteuse » : en tournant la manivelle, un bourrelet de métal se forme pour sceller le couvercle sur la boîte de conserve. Il en va de même pour les cannes de sirop d'érable récolté du bosquet des 24 végétaux situés à l'arrière de leur maison. Pour faire boucherie, elle attendra le retour de son mari Eugène prévu d'ici une semaine ou deux.

***

Fin septembre 1940

— Salut ma femme ! Je suis revenu !

— Eugène ! Déjà ? Tu es rentré beaucoup plus tôt que prévu ! Il n'y avait plus de travail sur les chantiers ?

— On dirait que t'es pas contente de me voir Marie-Blanche ! Je peux m'en retourner dans le bois pour revenir juste dans six mois !

— Je suis surprise, c'est tout ! Je ne t'attendais pas de sitôt. Comment s'est passé ton travail depuis ton départ au début de mai ?

— Si tu veux savoir si j'aime ma nouvelle *job* de draveur, j'ai à t'annoncer que j'aurais dû rester bûcheur, sacrament ! De la vraie marde, ce boulot !

— Comment ça ?

— C'est une vie de miséreux. J'ai attrapé la grippe trois fois pis j'ai manqué deux semaines d'ouvrage. Ça fait que la paye que j'étais censé rapporter est pas mal moins grosse que j'espérais.

— Dommage… Je ne comprends pas que tu as pu attraper la grippe avec tous les vêtements chauds que tu avais apportés… Je t'avais mis six paires de bas de laine dans ton sac ! Tu avais huit combines aussi !

— Ben, quand j'allais bûcher, on restait dans des camps chauffés. On était quatre à huit gars dans chaque cambuse puis on finissait toujours par s'entendre. La différence avec la drave, c'est qu'on se gardait les pieds à' chaleur. Là, on travaille 16 heures par jour, puis on se couche tout mouillés, sacrament ! On grelottait toute la nuit, bâtard ! Comment penses-tu qu'on se levait, le matin, toé ? On avait mal à gorge pis on était plus capable de parler ! Une vie de miséreux, calvaire ! Même que je peux te dire qu'on faisait ben pitié.

— Oh ! Personne n'avait apporté de sirop et de pastilles ?

— Non, personne... Un draveur commence son ouvrage à quatre heures du matin par le flottage du bois jusqu'à huit heures du soir. On pouvait ben tomber malade, on n'arrêtait pas du soir au matin ! Une vie de miséreux, je te dis.

— Ce n'est pas humain ! Votre *foreman* aurait pu vous donner des heures de repos ? Vous n'êtes pas des animaux !

— Tu rêves en couleurs Marie-Blanche ! Les journées sont si longues à cause qu'on peut pas finir tant qu'y a de la pitoune à sortir des ruisseaux pis des affluents. C'est ben dangereux aussi. Y faudrait pas tomber entre ces rondins-là... parce qu'on se ferait écrapoutir la tête.

— Mon Dieu ! Ne préférerais-tu pas recommencer à bûcher du bois ? Ce serait moins dangereux et moi je serais moins inquiète de te savoir en sécurité.

— Es-tu folle, toé ? Je viens juste d'arriver ! Y faudrait que je reparte dans un mois pis ça me tente pas une maudite minute de retourner dans le bois ! Je vais essayer de toffer, ç'a l'air qu'on s'habitue à la misère. Mon contremaître m'a demandé d'y retourner au mois d'octobre pour le glanage des billots. J'ai dit non. J'ai des affaires à faire icitte sur la terre. Ça me tente pas de travailler comme un bœuf, pour sortir des tronçons pognés dans les anses ou sur la grève. Y a pas pire comme ouvrage, ma femme ! On a de l'eau jusqu'à la taille du matin au soir... En plus, le soleil nous plombe sur la tête toute la journée. Je dormais dans une tente ouverte avec un crisse de petit feu en avant des pieds qui était entretenu par les hommes à tour de rôle. On couchait là-dedans tout mouillés, pis on claquait des dents toute la nuit. On grelottait sans arrêt. Les plus jeunes dormaient au fond pis les plus vieux, proches du feu. Je peux bien avoir attrapé mon coup de mort sacrament ! La grosse misère noire, calvaire !

— Donne-moi ta poche de linge, je vais commencer à le laver. Il y a une odeur de moisi insupportable, ça va empester la maison. T'as pas eu le temps de faire sécher ton linge avant de sortir des bois, c'est pour ça que ça sent si mauvais.

— Ouin… t'as pas chômé ! On va avoir des cannages pour un bout, Marie-Blanche !

— Il fallait que je les mette en pot, Eugène… Avec la guerre qui sévit, le manger est pas mal rationné. Il restera juste à faire boucherie au mois de décembre pour que nous puissions avoir de la viande pour passer l'hiver et le printemps. J'ai trouvé un poussoir à saucisses pas cher au magasin général. Je n'aurai plus besoin d'emprunter celui des voisins.

— Sais-tu comment ça marche, au moins ? T'en as jamais eu !

— Je ne suis pas si niaiseuse, Eugène ! Il faut juste enfiler une longueur de boyau d'intestin de porc sur le cornet et y mettre le mélange de viande hachée avec les épices.

— As-tu une bonne recette de saucisse, au moins ?

— La mère de Josette Gosselin m'en a donné une. L'important c'est de bien épicer la viande pour ne pas la perdre. Mais, il serait important de la consommer assez vite. À moins que nous la fassions fumer pour qu'elle se conserve plus longtemps.

— Ben... connais-tu quelqu'un qui a un fumoir toi ? Moi, je connais pas personne.

— Tu peux en construire un ? Ce n'est pas difficile à faire.

— Ouais... Je verrai si y a assez de bois en arrière de la grange. En attendant ma femme... si on allait dans la chambre ? Ça fait une éternité maudit. J'ai les joues tout enflées. Ho ! Ho !

— D'accord, Eugène... mais, pas avant que tu ne te sois lavé... tu ne sens pas bon. Je ne veux pas que tu mettes tes mains sur moi avant que tes ongles crasseux soient bien récurés avec la petite brosse. Elle est sous l'évier dans le petit plat en plastique à côté du savon du pays.

— Sacrament ! J'ai pas dit que je voulais te tripoter partout ! Je veux juste prendre ce qui m'est dû !

— Mais justement, c'est par ce bout-là qu'il faut que tu commences. Parce qu'emprisonné dans tes *overalls* pendant trois mois à l'humidité... Crois-tu qu'il est encore là ? D'après moi, tu dois l'avoir perdu en chemin, dit-elle en souriant pour le taquiner.

— Sacrament ! T'es donc ben insultante ! Tu te prends pour qui toé ! La reine d'Angleterre ?

— Eugène... c'est à prendre ou à laisser.

Née à Saint-Célestin en 1910, Marie-Blanche Nolin a rencontré Eugène Guindon, natif de Sainte-Monique, à l'âge de 14 ans, aux abords de la rivière Blanche près du pont couvert dans le quatrième rang de Saint-Célestin. Ce pont est appelé « pont rouge », car il est construit en bois et que la couleur rouge désigne celle se rapprochant de la teinture sang-de-bœuf.

Marie-Blanche était très féminine et pour elle, Eugène représentait son héros et le père des 14 enfants qu'ils mettraient au monde dans une maisonnée remplie d'amour. Ce dernier travaillerait sans relâche comme un forcené dans le but de faire vivre sa future famille.

Ils ont convolé en justes noces en septembre 1926. Une date appropriée pour que le nouveau marié puisse repartir dans les chantiers et revenir avec, dans son sac, de l'argent pour nourrir les siens durant plusieurs mois.

Lors de son retour au printemps 1927, il avait retrouvé sa femme rendue à huit mois de grossesse. Il n'était pas prêt. Pourquoi ? Une Batiscanaise du nom de Mathilde Lacoursière le recevait régulièrement dans sa petite maison sur la rue Principale située au côté du presbytère de Bastican en Mauricie.

— Pourquoi t'as fait ça juste avant que je parte Marie-Blanche ? C'est un coup de cochon ! T'aurais pu te retenir, maudit.

— Voyons, Eugène ? Nous avions décidé en nous mariant que nous désirions une ribambelle d'enfants ! s'écrie la femme désemparée, les yeux baignés de larmes. Je ne l'ai pas fait toute seule cet enfant-là, à ce que je sache ! Si je me souviens, tu étais dans la chambre avec moi ?

— Ça pressait pas, viarge de bâtard ! Je voulais avoir le temps de ramasser mes payes pour dans quèques années pouvoir te faire manger avec ta marmaille ! Là, ben t'as fait l'hypocrite pour me piéger. Je te pardonnerai jamais ça, Marie-Blanche Guindon ! T'es juste une maudite niaiseuse, sans cervelle ! Je te ferai plus jamais confiance !

— Je n'en reviens pas, Eugène Guindon ! À ce que je vois, nous ne manquons de rien ! Je m'occupe des poules, des cochons, du train puis des vaches quand tu es parti dans le bois ! Nous avons de la nourriture sur la table et une paillasse pour dormir, non ? Qu'est-ce que tu voudrais de plus pour que nous soyons en mesure de mettre des enfants au monde ? Si nous attendons trop longtemps, on va être rendus trop vieux. Et mes accouchements risqueraient de mal se passer. J'aurais trop de peine de mettre un enfant mort-né au monde. Nous allons regretter de ne pas avoir de petits-enfants à gâter plus tard. Pourquoi Eugène ?

— Je veux une plus grande piaule, sacrament ! On vit dans une cabane grande comme ma gueule ! On se marche sur les pieds à longueur de journée !

— Nous pourrions construire une ou deux pièces d'ici un an ou deux ? suggère Marie-Blanche en se levant avec difficulté pour peler les pommes de terre.

— Avec quoi on pourrait agrandir ? La manne miraculeuse du bon Dieu ? Je rapporte juste assez d'argent pour qu'on soit capable de manger, bâtard ! On est toujours ben pas pour demander la charité comme des quêteux aux gens du village pis au presbytère de monsieur le curé !

— Si tu ne buvais pas la moitié de ta paye en sortant des bois, nous en aurions amplement de l'argent. Je soupçonne que tu as recommencé à prendre de l'alcool… Je sais aussi que tu étais parti du camp depuis belle lurette. Les gars du village sont revenus depuis deux semaines. Avec un salaire dans leurs poches, en plus ! Tu étais parti traîner où, Eugène ! Dans les tavernes ?

— Tu m'espionnes ? T'as pris tes renseignements, à ce que je vois !

— Non ! Je vois clair, voilà la différence. Tu dégages le fond de tonne à plein nez quand tu rentres à la maison. Cela est sans te dicter que ton linge sent la charogne parce que tu ne fais pas un seul lavage sur le bord de la rivière dans tout ton voyage. Des fois... tu me lèves...

— T'as mal au cœur de moé, c'est ça ? Ma maudite effrontée ! Tu m'as marié pis tu me dois obéissance, *calisse* ! Pis en parlant d'obéissance... Envoèye ! Dans la chambre... Pis je veux pas que tu rouspètes ! C'est l'heure de ton devoir conjugal. Pis, comment je vais faire asteure avec ta grosse panse, calvaire ? Ç'a pas de bon sens comme t'es grosse ! Quand est-ce qui va arriver ce petit christ-là ?

— En juin... Je ne te reconnais plus, Eugène ! Tu étais si romantique le jour de notre rencontre. Tu avais plein de projets ! Où sont-ils ? Depuis qu'on est mariés, tu as tout mis de côté ce que tu rêvais de faire.

— Ça, c'était avant ! Aujourd'hui, c'est moi qui mène pis t'as besoin de te la fermer. Maudit Christ ! Un p'tit *crisse* de morveux au mois de juin ! Une chance que je repars dans le bois en septembre ! Les bébés qui braillent tout le temps chu pas capable, bâtard !

***

Le 23 juin, sous un ciel parsemé de nuages gris, Marie-Blanche donne naissance à ses deux filles : Violette et Béatrice. Deux petites brunettes identiques aux yeux bleus. En proie à une grande colère, le père de famille quitte la maison le jour même, prétextant un appel de son contremaître vu un surplus de corvées devant être exécutées avant la reprise des longues besognes de l'automne.

Quant à Marie-Blanche, elle devra travailler sur la terre comme une forcenée dans le but de nourrir « ses » enfants.

***

Déjà le mois de décembre annonce sa venue en laissant des accumulations de neige considérables. Les marinades et les conserves sont rangées sur les tablettes de la cuisine. À présent, il faut faire boucherie et Marie-Blanche est désemparée. Un voisin et quatre de ses rejetons sont venus l'aider. Sur le seuil de la grange des Guindon, Lionel Tougas a égorgé un porc et l'a suspendu pour le couper en quartiers. Les enfants du cultivateur ont récupéré les poils et les soies en versant de l'eau bouillante sur la carcasse pour les racler.

Une heure plus tard, les morceaux de viande porcine sont découpés : jambons, jarrets, rôtis et plusieurs autres pièces. Ils ont déposé ces morceaux de viande dans de gros tonneaux remplis d'une saumure bien salée.

Dans la soirée, une fois que Violette et Béatrice furent mises au berceau, Marie-Blanche fait fondre la graisse de la bête pour la transformer en saindoux. Madame Tougas a rapporté chez elle le foie pour confectionner la saucisse. À 23 heures, Marie-Blanche termine de hacher la chair rosée de l'animal qu'elle place dans des jarres et décide d'aller dormir. Elle préparera le fromage de tête à l'aube après avoir laissé tremper la tête et les sabots du porc durant la nuit. Quant à sa vieille bête Adérose, qui ne donne pratiquement plus de lait, elle sera abattue juste avant la fête de Noël. Les morceaux de viande récoltés seront remisés dans un coffre sur la galerie arrière dans le but d'être conservés gelés durant l'hiver.

Le lendemain, avec les jumelles emmitouflées dans une peau de fourrure et déposées sur un traîneau de bois, elle se rend au magasin général.

— Bonjour monsieur Bouillon.

— Madame Guindon ! Vous êtes bien courageuse de sortir avec votre progéniture par un temps pareil. J'espère qu'elles sont habillées chaudement, les pauvres petites.

— Oui, elles ont trois épaisseurs de linge, monsieur. Je n'ai pas le choix, vous comprenez... Je suis seule avec mes deux filles. Je dois me débrouiller comme je peux. Ce n'est vraiment pas facile : mon homme n'est pas à la maison pour faire les tâches à l'extérieur. Je fais tout l'ouvrage que je peux, mais des fois, je n'y arrive pas. Mes filles me demandent beaucoup de temps et de soins. Je veux qu'elles ne manquent de rien.

— En quoi pourrais-je vous aider ? lui glisse très gentiment le propriétaire de la place qui roulait les coins de sa moustache avec un sourire enjôleur.

— Heu... je voudrais me bâtir un fumoir pour être en mesure de fumer ma viande au printemps. Sans fumoir, je vais la perdre quand le dégel va commencer.

À quoi me servirait-il de faire boucherie si je suis pour perdre notre viande ?

— Voyons ! Vous êtes une créature, vous n'êtes pas en mesure de vous construire un fumoir ! Votre mari ne peut pas le faire, lui ? Ce n'est pas si compliqué, vous savez.

— Il n'a pas le temps qu'il m'a dit. Lorsqu'il rentrera du chantier, au mois de juin, j'aurai gaspillé ma viande, monsieur Bouillon.

— Oh ! Pauvre vous ! J'ai une idée, madame Guindon.

— Laquelle ?

— Je vais la fumer dans mon fumoir votre viande. Vous ne perdrez rien, je vous le promets.

— Je n'ai pas d'argent pour vous payer. Je ne pourrai pas vous donner du manger en retour non plus. J'en ai juste assez pour passer l'hiver. Peut-être aussi que je pourrais en manquer.

— Si vous ne le dites pas aux autres habitants du village, je ne vous chargerai pas une cenne ! Ce sera complètement gratuit pour vous.

— C'est vrai ? s'écrie la femme, heureuse d'avoir enfin trouvé la solution à ses problèmes.

— Certain ! Avant le dégel, amenez-moi vos morceaux de porc et de bœuf, je vais m'en occuper.

— Merci bien gros ! Vous voulez que je vous apporte tout ?

— Oui... vos jambons, votre bacon pis votre bœuf.

— Quand Eugène va rentrer au mois de juin, je vais vous payer le bois. Quel genre de bois prenez-vous pour fumer votre viande ?

— Que du bon, ma petite dame ! Du bouleau, du noyer, de l'érable, du hêtre... J'y place des épis de blé d'Inde aussi. Je vais mettre vos jambons dans des sacs de coton, pour qu'ils se conservent jusqu'à la fin de l'été.

— Vous me sauvez la vie ! Merci infiniment ! Comment pourrais-je vous remercier de votre bonté ! Si tous les habitants de la terre s'entraidaient ainsi, il n'y aurait pas de pauvres personnes qui crèvent de faim à l'année.

***

Sous le regard médusé de sa femme, Eugène Guindon rentre chez lui au début de juin.

— Tu es en avance, Eugène !

— Ouais... j'ai réfléchi dans le bois... je pense que je vais faire attention à mon langage. Tu mérites pas ça. T'es une bonne femme pis tu mérites le respect qui te revient.

— Je suis contente de te l'entendre dire, Eugène. Donne-moi ton linge pour que je puisse le laver.

Lors de sa dernière visite à Batiscan, Eugène eut la surprise de retrouver sa Mathilde dans les bras de son contremaître. « J'aurais dû garder mes histoires de cul pour moé calvaire au lieu de les raconter au chantier ! Me v'là cocu, asteure ! Ça m'a pas avancé, je les ai excités sans bon sens. »

De son côté, durant l'absence de son mari, Marie-Blanche avait amplement rémunéré Rodolphe Bouillon, propriétaire du magasin général.

CHAPITRE 11

L'emprunt

Octobre 1940

Dans le rang Pellerin, comme sur tout le territoire de la province de Québec, sous un ciel voilé, les couleurs chaudes du paysage annoncent l'arrivée de l'automne.

On peut distinguer l'humus et les tapis de moisissure au pied des grands végétaux. Dans les pâturages, la faux du vent couche vitement les derniers blés sur le sol gelé.

Perdus dans la brume matinale, Eugène et Béatrice s'affairent à rebâtir une partie de la clôture de broches inclinée vers le sol. Une vache venue d'un clos avoisinant l'avait fait tomber pour se retrouver dans leur potager et s'emparer des légumes restants de leur jardin.

Dans la maison à la devanture de papier brique gris, Violette tourne en rond. Elle doit absolument sortir. Quelle explication donner à sa mère Marie-Blanche ? Pourquoi s'esquiver un lundi à une heure aussi matinale ? Il n'est que sept heures !

— Je te sens nerveuse, Violette. Assieds-toi, tu m'étourdis. Est-ce que tu as fait ton lit et vidé ton pot de chambre ?

— Oui maman. J'ai même tricoté quelques rangs et épousseté ma chambre.

— Elle est avancée ton écharpe de laine rose ?

— Si je te disais que j'en suis à passer la frange dans les mailles ?

— Déjà ! J'ai seulement une mitaine de tricotée, moi ! Tu es une petite vite, toi ! Il va falloir que je m'y mette aussi !

— Ce n'est pas une course. Il n'y a pas de neige encore.

— Tu as raison, ma Violette. Ce qui me donnera l'opportunité de tricoter une demi-douzaine de paires de bas pour Eugène avant qu'il parte pour la drave au printemps. C'est fou comme il peut user ses chaussettes ! Quand il revient du chantier, elles sont remplies de trous !

— Quand part-il pour la drave ?

— Pourquoi me poser cette question avec ce petit air de soulagement, Violette ? Tu as hâte qu'il quitte la maison pour la Saint-Maurice ? Il n'y a pas si longtemps, tu ne voulais pas qu'il laisse la maison. Tu lui disais que tu t'ennuierais trop !

— Voyons maman… Je m'informe, c'est tout ! Et je te signale aussi que je ne suis plus la petite fille ennuyeuse qui s'accrochait à lui en pleurant pour ne pas qu'il parte dans les bois.

— J'ai remarqué depuis un mois… Est-ce que tu serais moins proche de ton père, Violette ? On dirait que tu essaies de l'éviter depuis un certain temps. Tu lui parles seulement quand c'est lui qui t'adresse la parole. Tu adores aller pêcher avec lui et lorsqu'il te demande de l'accompagner aujourd'hui, tu y vas à reculons.

— C'est juste que j'ai 15 ans. J'ai des copines, des sorties... Ma vie a changé, maman... Je ne suis plus une fillette comme je te l'ai mentionné tantôt.

— Tu es partie à cœur de journée ! Tu cours la galipote durant des jours avec Josette ! Elle m'est antipathique cette fille-là. Je ne l'aime pas beaucoup. J'ai de la difficulté à lui faire confiance quand je te vois quitter la maison pour aller chez elle. Je ne suis pas là pour vous surveiller.

— Voyons ! Tu connais madame Gosselin ? Tu dis qu'elle est une bonne mère de famille ! Elle s'occupe de ses enfants tout le temps !

— Certain ! Madame Gosselin est une sainte ! Elle élève neuf marmots dans sa petite maison de rang ! Une femme bien courageuse. J'ai de la compassion pour elle. Pauvre femme.

— Pourquoi n'avez-vous pas mis au monde d'autres enfants ?

— Ouf... si tu te sens prête à affronter ton père pour lui poser cette question, je te souhaite bonne chance ! Moi, j'en aurais voulu une demi-douzaine ! Mon rêve ne s'est jamais réalisé, malheureusement.

— Pourquoi papa ne t'a-t-il pas fait ces bébés ? J'aurais aimé prendre soin de mes petits frères ! J'ai seulement une sœur et je la connais à peine ! Deux étrangères, mautadine ! Depuis que je suis au monde, je lui adresse la parole et elle m'envoie toujours promener !

Elle est vraiment sauvage. À quoi cela sert-il d'avoir une sœur ?

— Regarde Violette... Béatrice est un peu jalouse de toi. Elle envie ta personnalité qui dégage une certaine joie de vivre, je crois. Elle est renfermée sur elle-même et je souhaite de tout cœur qu'un jour, elle sorte enfin de sa coquille.

— Je l'ai remarqué qu'elle est coincée dans son petit monde à elle, je ne suis pas aveugle. Ce n'est pas de ma faute si je représente une certaine féminité et que j'ai un faible pour les jolies robes, danser ou cueillir des fleurs ! J'aime broder la dentelle et Béatrice préfère faire le train. Elle ne sort jamais du rang Pellerin. Quand elle n'est pas dans l'étable, le poulailler ou la porcherie, elle est enfermée dans sa chambre à lire je ne sais quel livre. Elle est en train de ruiner sa vie. De plus, elle n'a jamais porté de vêtements à la mode, elle est toujours mal accoutrée.

— Béatrice n'a pas opté pour le métier d'agricultrice. Il lui a été imposé par ton père. Pauvre fille... Elle n'a pas reçu le même privilège que toi, Violette. Le dur travail qu'elle exerce sur la terre, elle ne l'a pas choisi. Ce labeur est dur pour elle. Ton père ne se sentait pas prêt pour une maisonnée remplie d'enfants, quand nous nous sommes mariés en 1926. Lors de son retour du chantier, il m'a retrouvée à huit mois de grossesse... Mon ventre était énorme. Il ne l'a jamais accepté. Je crois que lorsqu'il a su qu'il venait d'avoir deux enfants au lieu d'un, il ne l'a pas pris. Il était vraiment en colère.

— Maman !

— Laisse-moi continuer, ma fille.

— Papa ne voulait pas d'enfants et encore moins des filles… C'est pour ça qu'il a mis Béatrice aux gros travaux de la ferme.

— Il désirait fonder une famille, Violette ! Il amassait ses payes pour agrandir la maison. C'est restreint ici ! C'est petit comme un cabanon ! Deux chambres à l'étage… Tu as vu la cuisine ! Une table, quatre chaises dépareillées, un évier en pin sec, un poêle à deux ponts, une pompe à eau puis une armoire fourre-tout ! Les latrines ont l'allure d'un cabinet de souffrance. Les planches sont ajourées et le vent passe au travers.

— Je le sais, maman. Quand je m'y rends, souvent, il n'y a plus de papier… L'hiver, il y a de la glace jaunâtre sur le rebord du trou. C'est vraiment répugnant.

— C'est difficile, ma Violette. En ce qui concerne Béatrice, elle est une grande travaillante. Elle ne peut pas s'occuper de toute la besogne lorsque Eugène est parti draver. Tu devrais lui donner un coup de main, ma fille. Cela l'avancerait dans son ouvrage. Elle fait tout ce qu'elle peut, mais on dirait qu'elle manque de temps. Elle est souvent en retard dans ses tâches quotidiennes.

— Tu parles sérieusement, maman ? Je ne suis pas faite pour labourer la terre et tu le sais. Regarder mes ongles crasseux et tout brisés, je ne peux pas endurer ça.

— Voilà la raison pour laquelle ton père a jeté son dévolu sur Béatrice depuis ses 12 ans. La journée que vous êtes venues au monde, il fulminait de voir que j'avais donné naissance à deux filles. Lui, il ne voulait pas d'enfants en se mariant. Si j'avais pu lui donner un gars en premier, sa colère aurait pu être allégée, je crois. Qu'est-ce que tu as à clopiner comme ça, Violette ? Tu as mal à un pied ?

— J'ai marché sur un clou, quand je suis allée à l'écurie.

— Qu'étais-tu allée faire là ?

— J'étais partie montrer le petit veau de Bérengère à Marcel Vanier et j'ai pilé sur une vieille planche.

— Le grand Vanier du rang du Pays-Brûlé ?

— Oui, pourquoi ? Qu'ai-je fait de mal ? On dirait à voir ton visage que j'ai commis un crime !

— Violette !

— Quoi ?

— Tu n'as pas eu peur de te retrouver seule avec ce grand fainéant dans la grange ? Tu n'ignores pas qu'il est un peu dérangé dans sa tête, ce garçon ?

— Bien non, maman, il est inoffensif. Béatrice...

— Oui, ma fille ?

— Béatrice va avec lui dans la porcherie. Je les ai vus y entrer à plusieurs reprises.

— Quoi ? Ton père le sait ?

— Je ne pense pas. La semaine passée, je les ai vus ensemble.

— À quel endroit ?

— À l'arrière de la maison sur le côté de la petite cuisine d'été.

— Qu'est-ce qu'ils faisaient là ?

— Heu...

— Violette ?

— Ils s'embrassaient... et je peux te dire que ce n'était pas juste de petits becs.

— Tu es certaine de ce que tu avances, Violette ? Je les aurais aperçus par la fenêtre !

— Toi et papa vous étiez partis à la beurrerie porter la crème et faire les commissions au magasin général. Elle profite toujours de votre absence pour le voir.

— Je n'en crois pas mes oreilles ! Si Béatrice aspire à avoir un prétendant, elle doit nous demander notre permission ! Les fréquentations se passent ici dans notre salon et non à la cachette à l'arrière de notre maison.

— Béatrice sera punie, maman ?

— Affirmatif ! Quand ton père saura, il sortira la *strape* de la penderie. Montre-moi ton pied… si tu as pilé sur un clou rouillé, il faut nettoyer la plaie.

— Pas avec de l'alcool, j'espère ? Ça brûle bien trop ce médicament.

— Non, avec une couenne de lard.

— OK. Après je pars. Je suis en retard.

— Où veux-tu aller traîner, encore ?

— Chercher le courrier au bureau de poste et me rendre chez Josette dans le rang Saint-Joseph. Elle m'a invitée chez elle.

— Tu es loin d'être accommodante, Violette. Il y a de la besogne à faire ici… Regarde… à la fin de l'été, tu aurais dû donner un coup de main à ta sœur et ton père, au lieu d'aller traîner au diable vauvert. Quand il pleut, le foin brunit, les vaches perdent l'appétit et mangent moins. Ce n'est pas bon pour elles, elles perdent un poids considérable.

— Quel est le rapport ? Ce n'est pas de ma faute s'il pleut !

— Tu aurais pu les aider en mettant la paille en veilloches afin que l'eau puisse glisser sur le côté. Une grosse partie de la récolte a pourri. Ton père et ta sœur triment de la barre du jour au crépuscule, sur la terre agricole !

Violette ignore totalement le dernier commentaire de sa mère.

— Est-ce que tu as une lettre à poster, maman ?

— Non. Je vais attendre de recevoir des nouvelles de ma sœur avant de lui écrire.

— Je reviens pour le souper.

— Tu vas flâner chez Josette tout l'après-midi ?

— Je ne sais pas.

— D'accord, ma fille... Mais n'arrive pas en retard pour le souper, tu vas énerver ton père.

Le soir précédent dans leur chambre à coucher faiblement éclairée par la flamme du fanal au gaz, Violette avait demandé à sa jumelle de lui prêter les maigres économies qu'elle avait enfouies dans son bas de laine depuis cinq ans. Béatrice refusa sur-le-champ.

— Pourquoi refuses-tu de me passer ton argent, Béatrice ? Tu es juste une ingrate.

— Es-tu folle, Violette ? C'est tout ce que j'ai, saint citron ! Je le garde pour déménager au village.

— Tu ne partiras pas de la ferme... Tu dois t'en occuper pendant que papa est à la drave.

— Si tu penses que j'espère travailler sur la terre agricole encore 20 ans, tu te trompes royalement ! J'ai assez donné, moi !

— Tu ne sais pas faire autre chose, Béatrice. Tu n'as pas d'éducation, tu n'as pas terminé ton école.

— Maudite pimbêche ! Je ne te donnerai pas une cenne ! Va forniquer avec ton Marcel pis engourlouche-le pour qu'il t'en prête de l'argent, lui ! Je ne te passe rien pantoute !

— Si tu veux que je prenne ta défense un jour, il faudra que tu me passes les 20 piastres.

— Me défendre de quoi ? Je n'ai rien à me faire pardonner pantoute ! Maudit ! Qu'est-ce que tu as bavassé au père, toi ?

— Je vais raconter à maman que je t'avais vu embrasser Marcel Vanier en arrière de la maison.

Ouf ! Comme on dit : il y avait de l'eau dans le gaz. Béatrice tempête :

— Es-tu folle, toi ? Pourquoi inventer une histoire qui existe pas ?

— Maman croit tout ce que je lui dis. Pourquoi tu ne sors pas avec lui, au lieu de rester célibataire toute ta vie ? Vous feriez un couple dépareillé ! Marcel Guenillon et Béatrice Guenille !

— Oh ! Que tu es méchante ! Je travaille sur la terre, Violette ! Je ne peux pas être habillée comme toi ! Tu es juste une grande paresseuse puis une hypocrite ! Tu me répugnes, Violette Guindon !

— C'est laid la jalousie, ma chère sœur. Tu devrais avoir honte. Ce n'est pas de ma faute si j'attire plus les garçons…

— Va chier ! Maudite insignifiante. La vengeance est un plat qui se mange froid.

Pour convaincre Béatrice, Violette s'était mise à pleurer. Elle avait sur le cœur un lourd chagrin. Le prêt de Béatrice représentait pour elle la clef de ses soucis, de sa délivrance.

La lune pointait à l'horizon. Le firmament avait pris une teinte orangée et la lueur tamisée éclairait légèrement le ciel d'encre.

Violette larmoyait toujours.

— Bon, bon ! Tu me fais pitié ! Pourquoi je te passerais mon argent ?

— Pour m'acheter une toilette neuve au magasin général pour la danse de la semaine prochaine à la salle paroissiale. Je désire être au sommet de ma beauté.

— Hein ? Toute cette lamentation pour une robe ? Tu as au moins 20 robes dans ton grand coffre brun, saint citron ! Il y en a même que tu n'as jamais portée ! Réveille ! Tu aimes ça gaspiller ton argent, toi !

— J'en veux une nouvelle. Diantre, que tu es dure d'oreille ! Je ne suis pas pour arriver dans la salle avec une tenue vestimentaire que j'ai déjà portée !

— Je ne te crois pas ! Si tu dis la vérité, je peux changer d'idée et te prêter cet argent… Trouve une meilleure explication, ma sœurette.

Violette s'était remise à sangloter. Le temps venait de sonner sa dernière heure.

— Je suis en famille. Je dois me débarrasser de cet enfant avant que les parents s'en aperçoivent.

— Quoi ? Tu t'es fait engrosser ? J'en reviens pas !

— Oui. Si je te prie de me passer cet argent, c'est que demain j'ai un rendez-vous avec une faiseuse d'anges. Les journées sont comptées. D'ici quelques semaines, il sera trop tard.

— Une faiseuse d'anges ? Où ?

— À Grand-Saint-Esprit.

— Hein ? C'est loin en saint citron à pied ?

— J'y vais en voiture avec Josette. C'est planifié depuis une semaine. Madame Pouliot nous attend pour une heure dans sa maison de la route Principale. C'est à sept milles d'ici.

— Je n'en crois pas mes oreilles ! Tu es une putain ! Une cochonne ! Une fille facile ! Une…

— Arrête ! Si tu refuses de me prêter ton argent, je me lance dans la rivière Bécancour. Si j'apprends ma condition à maman et papa, ils vont me renier pour toujours. Et je n'ai pas l'intention de me retrouver dans un couvent de bonnes sœurs qui me donneront des ordres tous les jours.

— C'est qui le père ? Je devine que c'est le grand pas fin à Marcel ? Il pourrait te marier ?

— Ce n'est pas Marcel, Béatrice ! s'écrie Violette, en larmes.

— Voyons ! Cours raconter ça aux pompiers puis ils vont t'arroser. Je le savais ! Quand ça commence par un bec, ça finit toujours par un bébé.

— Je n'ai pas couché avec Marcel Vanier, je te le jure ! Il me répugne ce gars-là.

Béatrice ne comprenait pas : « Un des frères de Josette ? Bien oui ! Pourquoi ne pas y avoir pensé avant ! Ou bien, Tom Bouvier, l'employé, du magasin général ? Ce n'est quand même pas le concierge ou le bedeau de la paroisse ! »

Depuis la naissance de ses filles, Eugène Guindon les voyait grandir et s'initier à la vie. Elles ont toutes deux emprunté des routes différentes. Béatrice, par la force des événements, marche sur la croûte de la nuit pour se rendre à l'étable vêtue de ses vieux pantalons en étoffe du pays, chaussée de bottes de *rubber*.

Violette, quant à elle, lorsqu'elle se hasarde sur la terre familiale, c'est pour s'étendre sur l'herbe rafraîchie des pâturages durant de longues journées. Dès l'âge de 12 ans, elle relève ses jupons pour effleurer ses parties intimes dans le but de voyager dans un monde sybarite. Elle effeuille de ses doigts les segments voilés de son corps, soit dans l'étable sur une paillasse de paille ou à l'orée du ruisseau sous les mélodies des chanteurs des bois. Elle était la gardienne de ses lieux secrets jusqu'au jour où son père la découvrit nue sous un pommier dont les petites fleurs blanches tombaient une à une sur son ventre satiné.

Régulièrement, Eugène se dirige vers le jardin secret de sa fille. Prostré à la droite d'un conifère, il épie sa fille. Pris d'une folle tentation de toucher cette peau juvénile, il ne peut s'empêcher de profiter de cet instant d'érotisme. Il plonge sa main dans son pantalon ayant chuté à ses pieds. Sans ressentir la présence de son père, Violette se roule sur le côté et se met à gémir de plaisir. Lorsqu'elle se lève pour courir s'immerger dans l'eau fraîche, Eugène contemple la cambrure de ses reins et ses fesses arrondies. Ce dernier se réfugie derrière le sapin pour satisfaire ses pulsions sexuelles.

Ce matin, au point du jour quand la rosée tapisse la moquette vermeille, une volée d'oiseaux fait sursauter Violette et elle découvre son père près d'elle.

— Qu'est-ce que tu fais ici ? lui demande Violette dissimulant la pointe de ses seins sous ses petites mains.

— Je passais. Tu as l'air de t'amuser, ma fille ?

— Non ! Ce n'est pas ce que tu crois, papa !

— Peux-tu m'expliquer pourquoi tu es nue à six heures et demie du matin, toi ?

— J'allais me baigner.

— Tu trouves pas qu'il est de bonne heure pour te lancer dans le ruisseau ?

— J'aime l'eau fraîche à cette heure de la journée. Elle me fait du bien.

— Depuis une semaine que je t'espionne. Ça fait longtemps que ça dure, ça ?

— Quelques semaines...

— Tu penses pas que tu aurais pu te cacher mieux que ça, ma fille ? J'ai tout vu, petite traînée !

— Oh ! Tu vas le dire à maman ? Tu sais qu'elle ne s'en remettra jamais, papa !

— Ça dépend de toi... Tu sais ce que fera ta mère si je lui apprends que sa fille est une pétasse qui arrête pas de se toucher ?

— Non ! S'il te plaît ! Ce n'est pas de ma faute...

— ... si t'as besoin de cul tous les jours ? constate Eugène, devenu nerveux.

— Oh... Que vais-je devenir si tu le dis à maman ? pleure Violette, anéantie.

— Regarde, je le dirai pas à ta mère...

— Oh ! Merci !

— Tu pourras encore faire tes petites visites au lac, si tu veux.

— Pardon ?

— Je vais te montrer que c'est ben plus tripant de le faire à deux que de le faire en solitaire, ma cochonne.

— Papa ! Non ! Retourne à la maison, s'il te plaît ! Non, pas ça, je t'en prie !

— Reste couchée, te lève pas, mon insatiable. J'ai quelque chose à te montrer. Tu vas voir que ça travaille ben plus fort que tes petits doigts.

— Non ! Pitié, papa !

— Regarde... Ce gros bâton-là pourrait te donner ben plus de *fun* que ta main que tu promènes su' ton corps depuis une semaine. Commence par le flatter, y va grossir comme par magie pis après, mets-le le dans ta bouche, ma petite salope. Tu vas voir, c'est du vrai bonbon. Tu vas en redemander.

Violette pleure à chaudes larmes.

— Gêne-toé pas ! Gâte-toé !

Béatrice sort Violette de ses pensées.

— C'est qui si ce n'est pas Marcel Vanier ? Ce n'est pas le Saint-Esprit quand même, hein ?

— Je ne peux pas dévoiler son nom. Si tu me prêtes l'argent, en revenant de Grand-Saint-Esprit, je te le dirai, mais à une condition : que tu gardes le secret durant toute ta vie.

— OK... Je tiendrai promesse. Tiens, voilà... J'espère que tu seras en mesure de me le remettre un jour. Je le ramassais pour mon déménagement. J'en ai assez de la ferme ! J'aimerais ça regarder autre chose que des vaches, des cochons puis des poules, comme paysage.

— Où voudrais-tu t'installer ?

— J'en ai jamais parlé, mais j'aimerais aller rester à Saint-Pie... tu sais, mes parrains restent là. Ils pourraient m'héberger en attendant que je déniche un emploi.

— Du travail ? Tu pourrais simplement te trouver un homme pour te marier, non ?

— Je ne pense pas épouser qui que ce soit... Juste à voir les parents se chamailler à cœur de journée, ça m'enlève le goût de me rendre au pied de l'autel. Jamais qu'un homme va me dire quoi faire, jamais !

— Moi aussi je ne veux pas me marier, Béatrice. Je pourrais demeurer avec toi à Saint-Pie ?

— Pour quoi faire ? Pour me faire honte ? Écoute-moi attentivement, la sœurette : je te passe cet argent pour que tu te fasses avorter. Même si je sais qu'après l'avortement, rien va changer dans ton état d'être. Tu vas continuer à courir les hommes comme une insatiable...

— Jamais ! J'ai eu ma leçon. J'ai pris la décision de ne plus fréquenter aucun homme.

— Je te connais, Violette Guindon. Que je te vois me suivre à Saint-Pie ! Aujourd'hui, on s'est parlé. Retiens bien la date... La prochaine fois que tu seras devant moi, je ne te dirai pas un maudit mot ! La seule chose que je veux savoir, c'est le nom du gars qui t'a engrossée. J'espère que tu m'as bien comprise ?

— Oui... Diantre que tu es soupe au lait ?

— C'est juste que j'ai les deux pieds sur terre, moi. La différence entre nous c'est que lorsque je décide de m'étendre, c'est dans mon lit pour dormir. Toi, quand tu t'étends, c'est sur un homme. Tu es juste une nymphomane !

— Ce n'est pas beau la jalousie, Béatrice !

— Fais-moi brailler, toi ! Le père le sait que tu es en famille ?

— Tu es donc bien innocente, Béatrice ! Tu n'as pas de mémoire ? Je t'ai dit tantôt que si les parents savaient, ils me mettraient sûrement à la porte de la maison.

CHAPITRE 12

Bouleversement

Avant de quitter la maison pour se diriger au bureau de poste et rendre visite à son amie Josette, Violette s'est rendue au champ porter un seau d'eau et des biscuits à la mélasse à son père et sa jumelle.

— Où tu vas encore traîner aujourd'hui, toé? demande son père en lui lançant un regard jaloux.

— Chercher le courrier au village et passer l'après-midi chez Josette, papa.

— Quand tu reviendras, je veux que tu viennes m'aider à prendre le poisson pour le souper. T'es capable au moins de faire ça, sacrament? Si tu peux pas tenir un piquet de clôture de peur de te casser un ongle, tu dois pouvoir être en mesure de mettre un vers su' ton hameçon?

— Oui papa... Où veux-tu pêcher?

— À la même place que d'habitude, là où il y a le gros sapin en arrière du pommier.

— OK. Je vais t'y rejoindre vers quatre heures.

— Pis arrive pas en retard! exige son père, le visage mi-excité. Si tu dépasses quatre heures, tu vas avoir affaire à moi! Je déteste attendre après le monde!

— D'accord, papa. Je serai à l'heure, inquiète-toi pas.

« Mon Dieu, aidez-moi ! Lorsque j'aurai perdu mon bébé, je serai trop fatiguée pour le rejoindre sur le bord du ruisseau. Comment pourrais-je faire pour qu'il me croie ? Je vais être dans ma chambre lorsqu'il va rentrer pour souper. Maman va lui dire que j'ai mes affaires de femme, il comprendra. »

***

Sur la rue Principale dans le petit village de Grand-Saint-Esprit, une femme dans la quarantaine les accueille froidement en les priant de s'asseoir sur le long banc aux pattes branlantes près de la porte écaillée, derrière laquelle se déroulera l'avortement. La nervosité s'est manifestée dès que Violette a posé le pied sur le seuil de la vieille maison quasi abandonnée.

— Ouf ! J'ai peur, Josette… j'ai si peur de mourir.

— Ça ira, Violette. Ne t'inquiète pas. Tu n'es pas la première mère célibataire à franchir le seuil de cette maison. Est-ce que tu as bien attaché la jument après la colonne de la galerie ?

— Oui, Josette… Il ne manquerait plus rien que cela si elle se sauvait ! Qu'est-ce qu'on donnerait comme explication à ton père ?

— Aucune idée… J'espère que tu sais ce que tu fais, Violette. L'interruption volontaire d'une grossesse est un crime aux yeux de l'Église.

— Qu'est-ce que cela changera aux yeux du curé s'il savait, dis-moi ? Il me dirait que j'ai péché et je m'en fiche éperdument. Que je garde cet enfant ou non, je vais passer pour une sans cervelle et une traînée de toute façon. Je suis consciente que je dois faire confiance à cette femme malpropre de sa personne, mais qu'elle n'est pas en droit de faire un avortement. Elle doit demander pardon à Dieu tous les jours. Mais qui d'autre pourrait le faire ? À moins de me mutiler moi-même avec une aiguille à tricoter ?

— Arrête, Violette ! implore Josette, glacée de frayeur.

— Je n'ai pas le choix, Josette… C'est la faiseuse d'anges qui va chercher le fœtus avec cette aiguille, ou bien c'est moi.

La femme d'une apparence douteuse portant l'appellation « faiseuse d'anges » se présente vêtue d'un sarrau d'un blanc défraîchi.

— Tu peux venir Violette. Tu enlèves juste ta culotte. Tu t'es bien lavée avant de partir de chez toi ?

— Oui madame.

— Tant mieux ! C'est pour les infections, tu comprends ?

— Oui… Est-ce que ce sera douloureux ? demande la jeune fille très inquiète, en regardant les mains souillées de la femme.

— Regarde ma belle fille… Tu as fait une grosse bêtise. Tu dois maintenant subir les conséquences de ton geste. Bien entendu, ce sera souffrant, tu auras mal après. Mais tu dois être détendue pour ne pas que je fasse un faux mouvement et faire du tort à ton utérus. Si tu veux avoir d'autres enfants plus tard, il n'en tient qu'à toi. Tu dois rester très calme.

— Oh ! pleurniche la fille-mère en prenant la main de son amie Josette.

***

Dix minutes se sont écoulées lorsque « l'avorteuse » sortit de son cabinet avec une Violette au teint blafard.

— Est-ce que ça va, Violette ? Tu es toute blanche ! s'exclame Josette en se levant pour lui soutenir le bras.

— J'ai tellement chaud ! répond Violette épuisée, en s'assoyant sur le grand banc.

— C'est fréquent chez certaines femmes d'avoir de petites montées de fièvre après l'intervention. Tu peux te lever et partir, maintenant. Tu ne peux pas demeurer sur ce banc toute la journée, j'ai à faire.

— Est-ce que cela va saigner longtemps, docteur ?

— À peu près quatre ou cinq jours. Et, ne m'appelle pas « docteur ».

— Très bien. J'ai très mal au ventre, est-ce normal ?

— Oui, tu viens d'accoucher, Violette. Tu veux voir le fœtus ?

— Non ! crie la jeune fille en s'évanouissant.

— Bon, y manquait plus que ça ! Mademoiselle... votre amie est tombée dans les pommes. Surveillez-la jusqu'à son réveil. Ensuite je vous demanderai de quitter ma maison.

***

Violette réintègre son domicile, le visage suintant. Ses jambes ne la supportent plus. Elle a besoin de repos, sans attendre.

— Mon Dieu, Violette ! Qu'est-ce que tu as ? On dirait que tu es fiévreuse ? Tu as attrapé un rhume ?

— Peut-être... C'est pour cela que je suis rentrée plus tôt, maman, je ne vais pas bien. Je monte me coucher. Informe papa que je ne pourrai pas me rendre à la pêche avec lui.

— C'est correct, il comprendra. Attends, je vérifie si tu fais de la fièvre... C'est curieux, tu es tout en sueur et ton front n'est pas brûlant. Je pense que c'est peut-être une grippe. Je te prépare du sirop d'oignon[3].

La mère de famille se dirige vers le garde-manger pour en sortir une poche d'oignons blancs.

— Non ! Ce liquide est tellement méchant ! Je préfère m'en passer.

— Violette...

— Je désire seulement m'étendre quelques heures, maman.

— D'accord, ma grande. Je vais demander à ton père s'il veut que j'aille pêcher le poisson avec lui.

À huit heures, Violette dort toujours. Marie-Blanche prie sa fille Béatrice de monter réveiller sa jumelle pour que celle-ci puisse prendre des forces en ingurgitant le filet de truite qu'elle lui a réservé.

Lorsque Béatrice franchit le seuil de la petite chambre, Violette dort d'un sommeil profond.

— Violette ! Lève-toi ! la somme sa sœur, en tirant sur la couverture brune. M'man t'a fait cuire du poisson. Allez ! Viens manger.

---

3. Sirop d'oignon : Un rang d'oignon tranché en rondelles, un rang de sucre, un rang d'oignon, etc. Laisser reposer trois heures, récolter le sirop et ingurgiter.

Violette a toute la misère du monde à ouvrir un œil. Son visage est en sueur et elle frissonne.

— Béatrice… Va chercher le docteur. Vite !

— Elle ne t'a pas manquée, la madame ! Tu vas t'en rappeler de celle-là, hein ?

— Le docteur, Béatrice !

Béatrice descend à la cuisine en courant.

— Elle va venir nous rejoindre ta sœur ?

— Elle ne va pas très bien… Elle m'a demandé d'aller chercher le docteur Laurin.

— Voyons ! A' doit pas être si mal en point que ça, sacrament ! tempête le père de famille. Je te gage qu'est même pas malade ! A' voulait pas venir à' pêche c'te grande paresseuse-là. C'est pour ça qu'a s'est couchée, l'hypocrite.

— Elle est vraiment fiévreuse Eugène, le contredit, sa femme.

Marie-Blanche grimpe les marches pour se rendre à la chambre de sa fille. Elle pousse doucement la porte pour ne pas la faire sursauter. Après avoir déposé la lampe sur le rebord de la lucarne, elle se rend près de sa fille et palpe son front humide.

— Oh ! Tu fais de la température, Violette.

— Le docteur, maman…

— Pourquoi le docteur ? On ne dérange pas le docteur Laurin pour une simple fièvre ! Regarde, je vais tirer la couverture et t'aider à mettre ta robe. Il faut que tu viennes manger un morceau pour reprendre de la vigueur.

— Non ! Je n'ai pas faim, maman. Je veux juste dormir…

Sans se soucier des protestations de sa fille, Marie-Blanche enlève la catalogne pour la replier au pied du lit.

— Oh ! Eugène ! Eugène !

Eugène se lève pour se rendre au pied de l'escalier.

— Sacrament ! Crie pas si fort, on dirait que t'es en train de mourir ! Qu'est-ce que tu veux, encore ?

— Va chercher le docteur, Eugène… tout de suite ! Tu m'entends ? Vite !

— Pourquoi j'irais chercher le docteur ?

— Violette fait une hémorragie ! Elle perd beaucoup de sang !

— Hein ? Ben, *crisse* ! Va atteler la jument, Béatrice, on va chercher le docteur en ville.

***

Après une attente interminable…

Au tintement des clochettes de la carriole, Eugène ne réintègre pas la maison en compagnie du médecin Laurin, mais avec l'infirmière de ce dernier qu'il est allé prendre au dispensaire de la ville. La femme de profession se présente munie de sa trousse médicale contenant un stéthoscope, un appareil à pression, des ventouses, une trousse de premiers soins et une autre destinée aux accouchements.

Mademoiselle Paquette est une infirmière envoyée par le ministère de la Santé depuis déjà quatre ans. C'est une femme très appréciée de tous les citoyens de Saint-Célestin.

Pendant que l'infirmière examine Violette, Eugène tempête :

— Sacrament ! Une autre dépense ! C'est la première fois qu'on appelle un docteur icitte ! Combien ça va nous coûter tout ça, asteure ? A besoin d'être malade pour de vrai, la Violette, parce qu'a va regretter de nous avoir fait venir le docteur ici dedans.

— Calme-toi, Eugène. Ça ne coûtera rien pour la visite. On va débourser seulement si la garde-malade prescrit des médicaments à Violette.

Après 30 minutes, l'infirmière descend informer les parents de Violette.

— Qu'est-ce qu'elle a notre fille, madame la garde-malade ? l'interroge la mère de famille, manifestant une grande inquiétude.

— Elle...

— Quoi ? s'exclame le père de famille. Parlez, sacrament !

— J'ai bien peur qu'elle soit en train de nous quitter. Je suis désolée. Elle est au bout de son sang, la pauvre.

— On va la transporter à votre dispensaire, mademoiselle Paquette ? demande la mère éprouvée.

— Non, elle est trop fatiguée... Il ne faut pas la déplacer. Je vous demande d'aller au magasin général pour téléphoner au curé et lui dire de venir immédiatement.

— Non ! Non ! Elle ne va pas mourir notre fille ? Elle est bien trop jeune !

— Je suis désolée, madame Guindon. J'aurais aimé vous dire que tout va bien, mais ce n'est pas le cas, malheureusement.

— Oh non ! Pourquoi a-t-elle fait une hémorragie ?

— Heu… elle était enceinte.

— Quoi ? Ça ne se peut pas ! Dites-moi que je rêve ! Vous vous trompez, mademoiselle !

Eugène est sans voix. Aucun son ne sort de sa bouche.

— Vous ne rêvez pas, madame Guindon. Votre fille a fait une hémorragie à cause d'une infection, parce qu'elle vient de se faire avorter.

— Hein ? Quand ? Où ça ? Tu étais au courant, Béatrice ?

— Non, maman. Je ne savais rien.

— Je vais retourner la voir en attendant que le curé se présente. Je peux monter ?

— Si vous voulez, madame, mais elle est inconsciente. Elle ne vous entendra pas. Je suis navrée.

— Tu viens, Eugène ?

— Chu pas capable… Vas-y toi…

Le clergé se présente pour confesser la malade pour ensuite lui donner l'absolution et l'asperger d'eau bénite pour terminer avec le dernier sacrement de la foi catholique : l'extrême-onction.

— Pauvre enfant ! lâche le curé en sortant de la chambre, suivi de Marie-Blanche en larmes. Mes sympathies monsieur et madame Guindon. Elle est partie bien jeune. Soyez courageux. Je retourne au presbytère. Je dois prévenir le bedeau de sonner le glas.

Violette repose sur son lit souillé de sang devant sa famille anéantie. Mourir à 15 ans, c'est inacceptable.

— Dis quelque chose, Eugène !

Eugène s'agenouilla devant la dépouille de sa fille et déposa un baiser sur son front en priant cette dernière intérieurement. « Pardonne-moi, ma princesse… T'aurais jamais dû te rendre en dessous de ce sacrament de pommier. Si tu avais été sage comme ta sœur Béatrice, rien ne serait arrivé. »

Béatrice est sans voix. Elle se promet de rendre visite à Josette Gosselin pour savoir ce qui s'est réellement passé en après-midi chez cette femme accoucheuse. « Elle a tué ma sœur ! Cette folle a été payée pour charcuter et tuer ma sœur ! »

Le curé se retourna avant de quitter les éprouvés :

— Est-ce que vous allez exposer votre fille ici dans la maison familiale ou au salon funéraire ?

La mère de famille prend immédiatement la parole d'une voix tremblante :

— Violette va sortir de notre maison seulement pour ses obsèques et son inhumation au cimetière de Saint-Célestin.

— Très bien, madame Guindon. Vous êtes au courant des démarches que vous aurez à faire ?

— Oui, mon père. J'ai aidé ma voisine pour les funérailles de son garçon, Ange Albert. Il avait le même âge que ma Violette. Oh !

— Au revoir, mes enfants et soyez courageux. Je vais revenir prier pour les veillées de la défunte.

— Merci monsieur le curé..., répond Marie-Blanche en refermant la porte derrière lui.

— Tu vas m'aider à préparer ta sœur ou bien j'envoie chercher madame Gosselin, Béatrice ?

— Hein ? Je n'ai jamais fait ça, moi ! Elle est morte, je ne veux pas la toucher.

— Tu peux bien faire ça avant qu'elle parte de la maison pour toujours, ma fille ? Je vais t'expliquer pour toutes les étapes à suivre. Toi, Eugène, premièrement, tu vas arrêter l'horloge. Il faut la remettre à l'heure de sa mort et la laisser comme ça. Oh ! Que je ne le prends donc pas ! Elle était tellement belle et si jeune ! La vie ne sera plus pareille sans elle…

Marie-Blanche et Béatrice entreprennent la toilette corporelle de Violette. Elles déposent une pièce de monnaie sur chacune de ses paupières et une serviette sous son menton pour lui garder la bouche fermée. Elles retireront les pièces et la serviette avant le début de la soirée funèbre.

— Va lui chercher une de ses plus belles robes dans son gros coffre brun, Béatrice. Elle va être la plus belle ce soir, notre Violette.

Béatrice s'agenouilla devant l'imposant coffre pour fouiller et en ressortir une jolie robe de cotonnade bleu ciel et une paire de souliers blancs. « Ça va être beau avec ses yeux bleus. »

— Merci, Béatrice. Tu peux retourner serrer ses souliers, elle ne les portera pas dans sa tombe.

— Mais, m'man !

— Je vais lui mettre des pantoufles, personne ne va les voir, elle sera abriée jusqu'à la taille. On dit que les souliers font du bruit au Paradis et je ne voudrais pas qu'elle dérange les autres défunts. Eugène ?

— Quoi ?

— Il va falloir que tu prennes le train pour te rendre à Victoriaville acheter un cercueil.

— Hein ? Voyons ! Les tombes que Méo Plante fait ici à Saint-Célestin, ça fait pas ?

— Oui ça peut faire, Eugène, mais je veux qu'elle soit toute capitonnée de velours bleu foncé pour aller avec la belle robe bleu pâle que Béatrice lui a choisie dans son coffre.

***

Dans la soirée, la dépouille de Violette Guindon est allongée dans un cercueil en érable, ce dernier déposé sur les planches supportées d'un chevalet qu'Eugène avait placé, faute de salon, à l'extrémité de la cuisine dans le sens des poutres du plafond. Marie-Blanche a déposé un chapelet de bois dans les mains jointes de sa fille. À son cou, un scapulaire pour protéger son âme des flammes de l'enfer et qu'il lui assure la protection de la Vierge Marie.

— Va me chercher un petit plat d'eau, ma fille.

— Pour quoi faire, m'man ?

— Je ne veux pas courir de risques, ma fille. Je fais tout ce que mes parents ont fait quand ton oncle Napoléon est mort il y a dix ans. C'est pour que lorsque son âme aura quitté son corps, elle puisse se purifier avant de se présenter au bon Dieu.

— Ah !

— Pourquoi ne laisses-tu pas sortir ta peine, ma fille ? Depuis tantôt que tu ravales tout le temps.

— Je ne suis pas capable, m'man.

— Écoute, Béatrice... Moi aussi je suis fâchée pour ce qu'elle a fait cet après-midi. Puis si elle avait voulu garder son petit bébé, nous ne l'aurions probablement jamais vu cet enfant-là. Ton père aurait mis ta sœur dehors de la maison et lorsqu'elle aurait eu son bébé, les sœurs du couvent l'auraient envoyé à la crèche pour qu'il soit adopté par des inconnus.

— As-tu pensé que ce petit bébé aurait peut-être préféré vivre dans une crèche au lieu de se faire assassiner par cette vieille folle cet après-midi ?

— Oh ! Tu es en colère et je te comprends.

— Jamais que je ne lui pardonnerai à Violette ! Jamais, tu m'entends ?

— Oui tu vas lui pardonner, mais pas tout de suite. Le temps fera qu'un jour ta colère s'estompera et c'est à ce moment que tu lui pardonneras ses fautes. Tu devras le faire pour ne pas traîner cette peine toute ta vie.

— Elle a toujours ri de moi ! Vous l'aimiez plus que moi ! Qu'est-ce que ça va être pour moi asteure qu'elle est partie ? L'enfer sur terre, saint citron !

— Calme-toi Béatrice... Ta sœur est encore toute chaude.

— Non ! Je n'ai aucune envie de me calmer ! Puis toi, tu n'es pas mieux !

— Pardon ? dit la mère de famille en levant son regard vers sa fille, tandis qu'elle allume un cierge.

— Je me comprends...

— De quoi m'accuses-tu, Béatrice ?

— Je ne sais pas depuis combien de temps tu couches avec monsieur Bouillon du magasin général... mais prends-moi pas pour une niaiseuse, OK ?

— Quoi ? Mais de quoi parles-tu ? Tu délires, ma parole !

— J'avais cinq ans... je m'en souviens comme si c'était hier !

— …

— Quand p'pa était au chantier, ce monsieur Bouillon venait te voir. Tu pensais que j'étais bien endormie… mais, erreur ! J'ai tout vu par la fente de ma porte de chambre.

— Qu'est-ce que tu as vu ?

— T'as fait des cochonneries avec lui. Je vous ai vus ! Tu étais couchée sur la table de la cuisine et tu riais.

— Béatrice !

— Pourquoi as-tu fait ça à p'pa pendant qu'il gagnait notre manger dans le bois ?

— J'ai fait ça parce que ton père buvait ses payes avant de revenir à la maison. Il revenait avec les poches vides, ma fille ! Si j'ai fait ça avec monsieur Bouillon, c'est qu'il fumait ma viande pour pas qu'elle pourrisse et que toi et ta sœur Violette vous puissiez manger jusqu'à l'été. Voilà la raison !

— Oh !

— Oui, oh !

— Mais ça ne pardonne pas ce que tu as fait ! Tu riais, ce n'était pas si désagréable que ça ? Ce n'était pas une corvée ?

— Comment peux-tu être aussi méchante, Béatrice !

— Je suis réaliste, c'est différent. Inquiète-toi pas… Je ne le dirai pas à p'pa. Malgré la haine que j'éprouve pour lui, ce n'est pas obligatoire qu'il soit mis au courant. Même si je sais que Violette était sa préférée, il a quand même travaillé toute sa vie pour qu'on ait un toit au-dessus de notre tête. Puis, aussi bien te le dire pour Violette... je le savais qu'elle était chez cette faiseuse d'anges avec Josette, cet après-midi.

— Quoi ? Et tu ne m'as rien dit ? J'aurais pu l'en empêcher !

— Elle m'avait fait promettre. Aujourd'hui, elle est morte... Jamais qu'elle ne me remettra l'argent que je lui ai passé pour sa charcuterie !

— Tu lui as passé tes économies ?

— Oui... les économies que je ramassais pour enfin partir de cette maudite maison malsaine !

— Béatrice ! Tu ne peux pas nous laisser avec tout le travail de la ferme sur les bras ?

— Vous m'aimez juste pour ça, parce que je vous démerde tout le temps. Vous ne m'avez jamais aimée. J'ai toujours été le souffre-douleur de la famille Guindon.

— Mais non, voyons ! Ton père et moi t'aimons autant que nous aimions ta sœur Violette !

— Va raconter ça à d'autres, m'man ! Je ne partirai pas tout de suite, j'ai besoin de me ramasser de l'argent. Je vais aller travailler en ville. Puis pour ce qui me restera de force, là, je vous aiderai sur la terre. Mon travail va passer avant, OK ? J'ai juste hâte de vous crisser là, tous les deux.

— Béatrice ! Voyons ! Tu n'as que 15 ans !

— C'est pour ça que je vais rester encore dans votre piaule... Mais quand je vais être partie de Saint-Célestin, jamais que vous allez me revoir la face !

Lorsque Eugène rentre après avoir terminé de faire le train et qu'il voit pour une seconde fois sa Violette reposant dans son cercueil, il s'effondre. « Pourquoi

Dieu m'a pas arrêté ? Ma fille, ma princesse, je regrette tellement ! »

***

Les funérailles

Un tissu de crêpe noir décoré d'un ruban blanc ainsi qu'une branche de rameau sont suspendus à la porte de la maison.

Durant trois jours, les voisins, amis et connaissances de la défunte défilent devant le cercueil placé entre deux longs cierges. Durant les nuits, c'est Eugène, Marie-Blanche et madame Gosselin qui se relayent pour la veillée au corps. Lors de sa première visite, le curé a suggéré aux éprouvés de placer un récipient d'eau bénite sur une petite table pour que les visiteurs puissent y tremper une petite branche de sapin et asperger la défunte.

Entre les visites, Marie-Blanche s'affaire à cuisiner des sandwichs accompagnés de salade et de biscuits.

Le matin des obsèques, revêtus de leurs chapeaux hauts-de-forme noirs et de leurs redingotes, les entrepreneurs de pompes funèbres viennent chercher Violette pour la conduire à l'église Saint-Célestin.

À l'extérieur, un petit vent d'octobre déferle en faisant valser les dernières feuilles de la saison automnale.

Le cercueil de Violette fut déposé sur le catafalque situé à l'avant de la nef, ce dernier entouré de quatre longs cierges lumineux.

Une éprouvante messe est chantée pour le repos éternel de Violette. Même si le curé a été mis au courant des raisons du décès de sa paroissienne, celui-ci avait invité le Tout Céleste à accueillir Violette Guindon dans son paradis afin qu'elle repose en paix dans sa nouvelle maison.

Au cimetière Saint-Célestin, le cortège funèbre s'est arrêté près de la pierre tombale de la Famille Guindon. Le clergé de la paroisse a béni la fosse où serait descendu le cercueil de la jeune fille endormie à tout jamais. Eugène respire avec difficulté et Marie-Blanche ne cesse de pleurer depuis son entrée dans la Sainte Église. Le cercueil est descendu dans la cavité. Les gens présents ont pu lancer une poignée de terre sur la bière en murmurant: «Tu retournes à la terre. Née de la poussière, tu es redevenue poussière.»

Pour clore l'inhumation, le prélat prend la parole: «Que Violette Guindon, enfant du Seigneur, repose en paix dans le Royaume du Dieu tout puissant, *amen.*»

Chapitre 13

Les années ont passé

Mars 1966

Plusieurs saisons se sont estompées vitement. À 39 ans, Béatrice n'a pu délaisser la terre familiale depuis l'accident de son père survenu en juin 1942.

Un coup du destin épouvantable a incité ce dernier à prendre le chemin de la retraite beaucoup plus tôt que prévu. Aujourd'hui, il est coincé dans un fauteuil roulant et cela jusqu'à son ultime souffle. Depuis ce temps, sa conscience lui rappelle sans cesse que le jour où il se retrouvera à la porte du Ciel, cette dernière sera infranchissable. L'âme d'Eugène Guindon sera immédiatement dirigée en enfer. Il ignore cependant si sa fille Violette a été conviée au paradis de la vie éternelle ou si elle a rejoint les flammes brûlantes de la maison de Lucifer.

«J'ai mes torts..., pense le père de famille. Mais elle, elle a commis le péché de la chair. Moi, j'ai juste été provoqué, je suis un homme... c'était à elle de ne pas allumer la flamme du péché. En plus, a l'a tué son p'tit, sacrament ! »

« Qui n'a jamais péché lui jette la première pierre. »

À l'orée des bois, Violette ne dérangeait personne. Ses jupons se levaient au gré du vent et son corps frémissait sous la caresse de la petite brise. Chaque jour, petit à petit, elle découvrait sa féminité et un certain matin, son père a détruit sa vie à tout jamais.

***

15 mars 1966

La maison au toit gris et à la devanture défraîchie du rang Pellerin laisse échapper une légère fumée bleutée dans le ciel moiré. Les rivières coulent doucement et sous l'astre lumineux s'étalant à l'infini, les oiseaux reviennent des contrées chaudes en grand nombre.

Depuis son réveil, Eugène commente le passage des nuages grisâtres glissant doucement à l'horizon :

— Y va neiger ! *Crisse* de maudite marde ! Chu donc tanné.

— Eugène ! Ce n'est pas toi qui vas enlever cette neige et ce n'est pas toi qui te gèleras les mains en faisant le train dans l'étable ! le réprimande sa femme en regardant par la fenêtre de sa petite maison. Pense donc à ta fille Béatrice qui se lève à l'aube tous les matins et qui ne revient à la maison que pour dîner et souper.

— Elle est ben chanceuse elle, elle a ses deux jambes. J'aimerais mieux pelleter que d'être emprisonné dans cette *crisse* de chaise-là. Elle dort encore à cette heure ?

— Béatrice est levée depuis cinq heures, Eugène. Elle est dans la grange. Nous allons avoir du nouveau, Florette va mettre bas, si ce n'est pas déjà fait. Elle voulait être près d'elle au cas où il y aurait des complications.

— Ah ! Peux-tu m'aider ? Faut que j'aille à la maudite bécosse.

— Encore ? Cela fait deux fois depuis ce matin !

— Ben oui ! Tu viens m'aider, ou tu viens pas ?

— As-tu le va-vite ?

— Si c'était juste ça, je filerais peut-être mieux ! Ça fait trois fois que j'vais à' bécosse pis que chu pas capable de rien faire.

— Tu aurais pu me le dire avant ! Je vais te préparer de la mélasse avec du soufre.

— Laisse faire… donne-moi des Ex-Lax. Toé pis les recettes de ta mère… On est rendu en 1966, je te signale ! Les pharmacies se fendent le cul pour vendre des remèdes. Je vais demander à Béatrice d'aller en ville après-midi en chercher d'autres… y doit pas en rester beaucoup dans la boîte.

— Si nous sommes en 1966… alors pourquoi avons-nous encore des latrines ?

— Ça, c'est un coup bas, Marie-Blanche Nolin ! Tu sais ben que si j'étais su' mes deux jambes, on aurait une chambre de bain comme tout l'monde, sacrament ! Pis je pourrais aussi conduire un char pour me rendre au village faire mes commissions. J'aurais aussi agrandi la maison et j'aurais une chambre pour dormir.

— Excuse-moi… Cela a été plus fort que moi. Ce n'est pas de ta faute si tu es dans ce fauteuil roulant.

— Pense donc avec ta tête avant de t'ouvrir la boîte, aussi ! Chu déjà assez à terre comme c'est là. J'ai pas besoin que tu m'y enfonces encore plus à coups de marteau.

Marie-Blanche n'a que quelques traits de sagesse. Son abondante chevelure brune est torsadée et enroulée sous une grosse barrette de cuir bourgogne. Elle ne sort pratiquement jamais du rang Pellerin, sauf pour se rendre en ville afin de faire son marché et rencontrer le curé de la paroisse afin de faire don de cannage pour la guignolée du mois de décembre. Concernant l'office religieux du jour du Seigneur, elle s'y présente un dimanche sur deux avec Béatrice, question de faire taire les curieux du petit village. Après les implorations et les prières qu'elle avait récitées agenouillée au pied du lit de sa fille Violette, la mère de famille a cessé de croire en Dieu.

Eugène a pris un poids considérable. Ses cheveux noirs sont parsemés de brindilles argentées et son épiderme s'est recouvert de sillons profonds. Ses loisirs se limitent à affiler les couteaux de la cuisine, fabriquer ses cigarettes et celles de sa fille Béatrice qui fume depuis l'âge de 17 ans. En maniant les roues de son fauteuil roulant, il est en mesure de se rendre au comptoir pour allumer la radio et écouter ses émissions quotidiennes sur les ondes de CKAC. Vu sa condition physique, il ne peut dormir à l'étage. Sa femme lui a installé un lit pliant dans l'encoignure de la cuisine. Illettré, il n'a jamais côtoyé les bancs de la petite école du rang. Il a tout de même appris à mémoriser les chiffres et à identifier les couleurs d'un jeu de cartes.

En saison estivale, installé dans une chaise à bascule, il use les planches de la véranda. Parfois, il fait une sieste la tête lourdement relâchée vers son abdomen, et récolte continuellement des torticolis. Souvent, durant des heures, il fixe un objet quelconque sans vraiment rien azimuter. Lorsque le ciel expose un bleu magnifique et que la nature arbore ses plus jolis coloris, ce dernier ne broie que du noir. Révolté, il accuse la Providence de le priver de toutes les beautés de la terre.

— Tiens ! Te v'là toé ! Y'é tu arrivé le veau, Béatrice ?

— Ça fait longtemps, p'pa ! J'ai eu le temps d'aller au bureau de poste puis au magasin général me chercher des boutons pour la robe que je suis en train de me coudre ! Tiens m'man... ma tante Olivette de Saint-Pie t'a écrit..., lui dit Béatrice en sortant une enveloppe fripée de la poche de sa jupe.

— Oh ! J'en fais la lecture tout de suite, s'exclame joyeusement Marie-Blanche en prenant ses lunettes sur le comptoir de la cuisine pour les déposer sur le bout de son nez.

Bonjour Marie-Blanche,

Comment ça se passe chez vous à Saint-Célestin ? Nous, sur la rue Notre-Dame, c'est le petit train-train quotidien. Nous avons pensé, Rolland et moi, de vous visiter en mai prochain. Tout va dépendre de ma condition physique. J'ai vu le docteur Chaput il y a cinq jours et j'attends les résultats de mes tests d'ici quelques jours. Je t'avoue que ce n'est pas facile de faire ma besogne de tous les jours ! Je n'avance à rien ! Je deviens essoufflée au moindre effort. La semaine dernière, je pense que Rolland a contracté le même virus que moi. Comme on dit, aussitôt qu'on va être remis sur le piton, nous prendrons l'autobus pour nous rendre à Saint-Célestin pour passer quelques jours avec vous. En attendant, tu peux informer notre filleule Béatrice que nous avons fait rédiger notre testament chez le notaire Choquette. Nous avons décidé que lorsque nous serons tous les deux décédés, notre maison lui reviendrait. Vu que nous ne l'avons pas rencontrée souvent et qu'elle n'a pas été gâtée en cadeaux, elle pourrait l'habiter ou la vendre. Je te redonne des nouvelles concernant notre prochaine visite à Saint-Célestin. Salue bien Béatrice et Eugène pour nous. Quant à Violette, nous la mentionnons dans nos prières tous les soirs, et cela, depuis sa naissance.

Ta sœur Olivette

— Bien voyons donc ! s'exclame Marie-Blanche en glissant dans la poche gueulante de son tablier la missive provenant de sa sœur.

— Quoi, m'man ? Elle est malade, matante Olivette ?

— Je ne le sais pas, ma fille. Elle a passé des tests, nous le saurons dans une semaine.

— Pourquoi tu es toute bouleversée, d'abord ? Tu t'inquiètes avant le temps, m'man.

— Ta marraine et ton parrain te lèguent leur demeure sur la rue Notre-Dame à Saint-Pie...

— Hein ? Ça ne se peut pas ! Je ne les vois presque jamais ! Je n'ai jamais vu leur maison en plus ! La seule fois que je les ai rencontrés, c'est ici à Saint-Célestin le jour de la Saint-Jean-Baptiste en juin 1955 ! Tu sais bien que cela n'a pas d'allure ! Une maison pour moi toute seule ?

— S'ils ne changent pas leur testament d'ici les prochaines années… bien tu viens d'hériter d'une maison, ma fille !

— Je n'en reviens pas !

Le père de famille intervient :

— Si y lèvent les pattes assez vite, tu vas pouvoir la vendre pis on va pouvoir se faire bâtir une chambre de bain puis se faire poser le téléphone ? propose le père de famille, souriant.

— Eugène Guindon ! Tu parles de ma sœur et de mon beau-frère, je te signale ! Tu es donc bien sans-cœur ! On ne souhaite pas la mort des gens, voyons !

— C'est une farce ! Je sais ben que les Cusson vont rester dans leur maison encore longtemps, s'adoucit Eugène, mi-sérieux en bourrant sa pipe d'un tabac nauséabond.

À la fin du mois de mai, Béatrice hérite de la maison de ses parrains.

***

Début juin

Depuis le décès de ses parrains, Béatrice s'est mise à rêver. Qu'est-ce qu'elle en a ras-le-bol de ramasser du fumier, de nettoyer les pis des vaches, de récurer l'étable, de saigner le porc de l'automne, d'abattre une bête à laquelle elle s'est attachée durant des années et qu'elle a remerciée d'avoir donné de la si bonne crème ? Combien de fois s'est-elle tue en rentrant dans la maison familiale les doigts recouverts de gerçures parce qu'elle venait de trébucher sur la croûte gelée qui menait à l'écurie ?

Mais elle n'est pas ignorante pour autant. Elle ne sort pratiquement jamais du rang Pellerin, sauf pour visiter Josette Gosselin, l'ancienne copine de sa sœur Violette. Depuis 1945, Josette a épousé un homme très bien. Elle a mis au monde six enfants. Depuis le jour où Béatrice s'est rendue chez elle dans le rang Saint-Joseph pour quérir des renseignements au sujet de l'avortement de sa jumelle en 1941, une amitié s'est tissée entre elles.

Quelques jours à peine suffisent pour faire une grande lessive dans sa petite vie de misère. Le bonheur ne peut être atteint si le cœur ne bat que pour servir son prochain. Elle doit penser à elle. Qu'elle demeure à Saint-Célestin ou à Saint-Pie, les rivières couleront toujours aux quatre coins du monde et la brise du vent soufflera éternellement sur les quatre saisons de la terre.

— Béatrice, pourrais-tu demander à Josette si elle n'aurait pas besoin de vêtements pour ses enfants ?

— Pourquoi ? Les filles de Josette sont bien trop fières pour mettre ton vieux linge, m'man !

— Je ne veux pas lui donner mes vêtements, Béatrice ! Je désire lui faire don du grand coffre brun de ta sœur Violette. Cela fait longtemps que je veux m'en départir.

— Pourquoi ?

— Béatrice, cela fait 25 ans que ta jumelle est morte ! Puis… on ne pourra pas le déménager sur la rue Marquis. La maison est trop petite. Il serait un encombrement pour nous, ce coffre.

— Regarde m'man… Ce n'est pas parce que vous avez vendu la terre que vous êtes obligés de donner tous les souvenirs de Violette. Il n'y a pas un grenier dans votre nouvelle maison ?

Eugène s'immisce dans la conversation :

— Qu'est-ce que ça peut te faire si on se débarrasse des guenilles de Violette, toé ?

— Ton père a raison, Béatrice ! répond Marie-Blanche. Ce coffre est rempli de belles robes et Josette a des filles dans la vingtaine… Pourquoi ces vêtements ne pourraient-ils pas servir à nouveau ? Tu sais que ta sœur prenait bien soin de ses choses et que plusieurs de ses robes n'ont jamais été portées. Aussi, elle brodait sans cesse dans le temps… Dans cette malle, il y a des mouchoirs, des taies d'oreiller, des centres de table. Il y a même des flacons de parfum ! Pourquoi ne ferions-nous pas un bon geste pour cette famille ?

— Tu as fouillé dans ses effets personnels ? tempête Béatrice, toisant sa mère d'un air mauvais.

— Voyons Béatrice ! Ça fait 25 ans ! Après tout… Violette était ma fille, je me suis donné le droit de regarder ce qu'il y avait dans ce coffre. Il y a tellement de robes que je n'ai même pas regardé jusqu'au fond !

— Il était fermé à clef ! Tu n'avais pas d'affaire à mettre ton nez dedans ! Tu as violé son intimité !

— Pauvre Béatrice… De toute façon, où pourrait-on le placer ce coffre de rangement dans notre nouvelle maison ? Il n'y a que deux chambres et la tienne est toute petite. Oui, il y a un grenier, mais il est vraiment trop bas, on ne peut pas marcher dedans, il faudrait ramper à plat ventre pour y accéder.

— Ce n'est pas grave si ma chambre est petite, m'man… Je n'habiterai jamais cette demeure de la rue Marquis.

— Pardon ? Ai-je bien entendu, ma fille ?

— Je déménage à Saint-Pie.

— Ah ben, sacrament ! Depuis quand as-tu décidé ça, toé ?

— Depuis que j'ai su que j'ai hérité de la maison de matante Olivette. Vous n'aurez plus besoin de moi, il n'y a pas de terre à cultiver ! Je vais avoir 40 ans… J'en ai assez fait pour vous deux. Je pense que je mérite une vie bien à moi avant de devenir une vieille femme.

— Oh ! s'exclame sa mère, insultée.

— En plus, si vous n'y voyez pas d'inconvénients, je garde le coffre de Violette. Je m'occupe moi-même de le déménager sur la rue Notre-Dame.

— Pourquoi ? l'interroge le père de famille avec humeur.

— Je sais que Violette puis moi ça n'a jamais été le grand amour. Je dirais même qu'entre elle et moi c'était comme le feu et l'eau.

— Pourquoi tu veux ses guenilles d'abord ?

— P'pa… le coffre, c'est la seule affaire qui me reste d'elle. Moi, tout ce que j'ai, c'est le chapelet qu'elle avait dans ses mains et que j'ai pris avant que tu cloues le couvercle de sa tombe. Ses vêtements je vais les offrir à des démunis de la paroisse Saint-Pie.

— Veux-tu sa couchette qu'elle avait quand elle était bébé ? Est dans le grenier du hangar.

— Non, merci. Je souhaite juste apporter mon berceau à têtière.

— Pour quoi faire ? T'auras pas des p'tits à 40 ans, sacrament ?

— Non, c'est sûr... les enfants que j'aurais pu avoir, je n'ai pas eu le temps de les faire parce que j'étais occupée à vous torcher depuis ces 25 dernières années.

— Tu n'es pas gênée, ma fille ! Si ton père ne s'était pas blessé à la drave...

— Ça aurait changé quoi ? C'est Violette que vous adoriez... moi j'étais bonne à nettoyer l'étable. J'ai juste eu le temps d'apprendre à écrire à l'école avant que vous m'en sortiez pour travailler sur la terre. J'aurais aimé continuer mes études pour devenir une maîtresse d'école avant de me marier.

— Une paresseuse !

— Qu'est-ce que t'as dit, p'pa ?

— Tu serais passée pour une tire-au-cul dans ce temps-là... Vu que j'avais pas eu de gars, ben les voisins t'auraient trouvé sans-cœur de pas nous aider su' à terre.

— L'entourage, mon œil ! Puis Violette ? Pourquoi vous ne l'avez pas forcée à travailler sur la ferme comme moi ?

Les larmes aux yeux, la mère intervient :

— Ta sœur Violette ne détenait pas tes forces pour le labourage de la terre, ma fille. Elle était... plus fragile que toi.

— C'était ma jumelle ! Elle avait les mêmes forces que moi ! C'était juste une grande paresseuse. Elle se plaignait continuellement d'avoir mal quelque part. Vous l'avez crue et vous l'avez toujours couvée. En plus, c'était une traînée.

— Béatrice ! s'écrie la pauvre femme scandalisée en l'implorant de se taire.

— Oui, m'man ! Une guidoune ! Je peux vous gager qu'elle n'a jamais su qui était le géniteur de l'enfant qu'elle portait quand elle s'est fait avorter ! Trop d'hommes avaient passé sur elle.

Sans perdre une seconde, son père la gifla.

— Tu ne me frapperas pas une deuxième fois, mon écœurant ! Dis-moi ? Si tu avais su le nom du père du bébé, tu aurais fait quoi ? demande sa fille, les joues en feu. Tu l'aurais égorgé ?

— C'est assez ! Je veux plus rien entendre ! Violette est enterrée, a' pourra pas jamais nous le dire, c'était qui le père de son p'tit. Même si on se creusait la tête… ça donnerait absolument rien.

— C'est ça… De toute façon, elle-même l'ignorait.

***

Le 7 juin, sous le regard de ses parents, Béatrice boucle ses valises. Sa mère dit la comprendre. Son père, pour lui tenir tête, refuse de lui laisser apporter son berceau à têtière.

Le mari de Josette, Fernand Duhamel, possède un fourgon et a eu la gentillesse d'offrir ses services à Béatrice pour son déménagement à Saint-Pie.

En moins d'une heure, les cartons de la future saint-pienne sont déposés dans le camion jaune sans omettre le grand coffre brun aux poignées de fonte.

Chapitre 14

Retour à Saint-Pie

Suite du chapitre 9

— Pierre…

— Oui ?

— Je veux vous parler…

— Ça tombe bien, moi aussi !

— Ah bon ! Alors, commencez…

— Non, vous, commencez !

— Envoyez donc ! Ce sera plus facile pour moi après.

— Comme vous voulez…

Comment lui expliquer qu'il a côtoyé sa sœur Violette et qu'elle avait habité à Saint-Pie sur la rue Roy ?

— Voilà…

— Assoyez-vous donc, on dirait que vous êtes vissé sur le plancher.

Après avoir chevauché une chaise et plié ses bras sous son menton, il se lance :

— Voilà… votre sœur Violette…

— Ma sœur Violette est morte, Pierre.

— Quoi ?

— Ma jumelle est dé-cé-dée !

— Non, voyons ! Elle a déménagé…

— M'entendez-vous, Pierre ? Ma jumelle est MORTE !

— Quand l'avez-vous appris ? C'est pour cette raison qu'elle n'est pas revenue…

— Pierre…

— Mais… je l'ai déjà…

— Pierre ! Violette est enterrée au cimetière de Saint-Célestin !

— Comment pouvez-vous savoir ? Votre mère vous a écrit ?

— …

— Béatrice ?

— Violette n'a jamais déménagé à Saint-Pie.

— Mais…

— Laissez-moi parler !

— D'accord.

— Son logement sur la rue Roy n'a jamais existé non plus. Pierre… Violette… c'était moi.

— Que me dites-vous là, Béatrice ? Vous me faites marcher ?

— Je souhaiterais revenir en arrière, mais je ne peux pas, c'est impossible. Si j'avais su avant de vous rencontrer, je ne vous aurais jamais fait une affaire pareille ! Je regrette. Vous ne me pardonnerez jamais.

— Je rêve ? Christ ! jure Pierre en se coinçant la tête entre ses deux mains.

— Vous ne rêvez pas, c'est la pure vérité.

— Pourquoi avoir emprunté l'identité de votre jumelle si elle est enterrée à Saint-Célestin ? Est-ce que je viens de perdre la raison, moi ? Béatrice ! Mais, qu'avez-vous fait pour l'amour du Ciel ?

— J'étais jalouse de ma sœur, de l'existence qu'elle avait à l'âge de 15 ans. Elle était belle et moi j'étais moche. Mes parents l'aimaient et ils me détestaient. Je voulais essayer de vivre dans sa peau et dans ses vêtements pour quelque temps.

— Voyons ! Vous êtes folle, ma foi ?

— Personne ne me connaît, à Saint-Pie. À part vous, bien sûr. Si j'avais su que je tomberais amoureuse de vous, je n'aurais jamais emprunté la vie de ma jumelle.

— Vous êtes dérangée ! C'est insensé ! Allez vous faire soigner, Béatrice ! Je suis tellement déçu ! Vous me répugnez, Béatrice Guindon ! Je ne veux plus jamais vous adresser la parole.

— Je vous comprends... Que Dieu me pardonne et Violette aussi.

Pierre l'ignore et se dirige chez lui, rouge de colère et de déception.

***

26 mai 1969

Sept mois ont passé et Pierre n'a toujours pas adressé la parole à Béatrice. À la meunerie Grisé, ses journées de travail se déroulent normalement et le soir il rentre à la maison sans omettre de jeter un regard vers la maison de sa voisine.

Sans copier à nouveau la personnalité de sa sœur, Béatrice a commencé à sortir de temps à autre et se présente à la messe du dimanche matin à la sainte église de Saint-Pie. Le jeune Angélus Frégeau a cessé de lui livrer ses commandes d'épicerie. Elle fait ses emplettes au marché Métro Harnois, sur la rue Notre-Dame. Parfois, elle aime zieuter les nouveautés au magasin général de monsieur Janvier Boisvert également établi sur cette même artère. Depuis sept mois, elle a remisé ses ciseaux de coiffure au fond d'un tiroir. Elle se rend régulièrement au salon Chez Simone sur la rue Roy, soit pour une coupe ou une permanente. Elle porte ses cheveux courts. Aucune comparaison avec son ancienne coiffure et encore moins de ressemblance avec les cheveux frisés de sa jumelle.

Pierre lui manque énormément. Lorsqu'ils se croisent en sortant sur leur véranda avoisinante, ce dernier baisse la tête et regarde vers le sol. Il fait de même s'ils se voient à l'église ou à l'extérieur sur la rue Notre-Dame. Pierre traverse de l'autre côté de la grande artère pour éviter de passer près d'elle.

Blessé et colérique depuis octobre 1968, Pierre essaie de survivre à cette idylle. Quant à Béatrice, elle apprécie désormais la petite ville de Saint-Pie.

«Je vais toujours rester ici. Violette, tu es sortie de ma vie à tout jamais... mais j'aurais aimé que Pierre comprenne que je ne suis pas folle... Si j'ai pris ta personnalité, c'est que je voulais voir si ma vie aurait été plus palpitante. C'est certain que les hommes me regardaient d'un autre œil à l'église et que je me sentais attirante. Mais au grand jamais, j'aurais voulu garder ta façon de vivre! Je parlais plus tranquillement, pour ne pas que ça paraisse. Même que des fois, je reprenais mon jargon d'habitante. Une chance que Pierre n'avait rien remarqué ! De toute façon, regarde où j'en suis rendue aujourd'hui. Il est tombé amoureux de moi et j'ai tout perdu. Quand je suis rentrée dans ta peau, je m'amusais au début. Mais après, j'avais toujours peur qu'il t'aime plus que moi. Il était attiré par toi à cause de ta féminité et ton allure d'une "Marie-couche-toi-là". Dieu que j'ai été contente quand j'ai eu l'idée de te faire retourner à Saint-Célestin ! J'ai pu l'avoir pour moi toute seule, même si je savais bien que tu n'étais jamais venue rester à Saint-Pie. »

***

Malgré ses pensées à l'égard de Béatrice, Pierre a retrouvé son statut de célibataire. Il est heureux de retourner la terre de son jardin et, à l'occasion, il visite ses voisins d'en face, les Roy, qui avec le temps sont devenus de bons amis.

***

— Ah bien ! Si ce n'est pas ma petite fille Pierrette de Saint-Dominique ! Entre ! Marc-André n'est pas avec toi ?

— J'avais envie de sortir seule.

— Mais... à qui appartient cette Chevrolet ? Marc-André a changé d'auto ?

— Non, papa, c'est ma voiture.

— Où as-tu pris l'argent pour une telle acquisition ?

— Nous avons vendu notre maison.

— Voyons ! Depuis combien de temps êtes-vous en appartement ?

— JE… suis en logement.

— Pierrette… qu'est-ce qui s'est passé entre toi et Marc-André ?

— Depuis six jours, je demeure sur la rue Lafontaine ici à Saint-Pie… Je travaille comme réceptionniste chez le médecin Boisseault sur la rue Saint-François depuis hier.

— Dans le nouvel édifice où il y a la pharmacie et les quatre généralistes ?

— C'est ça… Où exercent les docteurs Chaput, Fournier, Boisseault et Millette.

— Mais pourquoi ce déménagement ?

— Je suis séparée. Nous rencontrons le notaire Choquette la semaine prochaine pour notre divorce.

— Bien là, tu me prends par surprise, ma fille ! Que va penser le curé Brosseau quand il apprendra cette nouvelle ?

— Écoute papa… Je préfère que le père Brosseau m'excommunie de son Église. Je ne reviendrai jamais avec Marc-André. Je n'en pouvais plus, papa ! J'étais en train de perdre mon identité et de virer folle.

— Que t'a-t-il fait, Marc-André ?

— Je ne peux pas tout te raconter. Ça ne regarde que lui et moi… Je peux tout simplement te dire que la raison qui a fait crouler notre couple concerne ce qui se passe dans le lit conjugal.

— Il ne t'a pas respectée ? Il a exigé de toi des choses contre ton gré ?

— Si l'on veut… J'étais sa femme, oui, mais aussi sa « putain ».

— Oh ! Je n'en reviens pas ! Mais…

— Papa… laisse tomber, je ne veux pas m'étendre sur le sujet comme on dit… Je me suis assez étendue pour lui, depuis que nous sommes mariés.

— Il a besoin de ne jamais se présenter devant moi celui-là ! Il va savoir comme je m'appelle, cet effronté !

— Je ne pense pas qu'il osera te faire face. Il a toujours eu peur de toi. Comment ça va avec mademoiselle Béatrice ?

— C'est terminé avec mademoiselle Guindon, ma fille. Nous ne nous fréquentons plus.

— Oh ! Comme c'est dommage ! Elle était tellement gentille, cette femme.

— Tu trouves ? Bien, c'est un air qu'elle se donnait. Je veux dire qu'elle avait une double personnalité.

— Pourquoi cela n'a-t-il pas fonctionné entre elle et toi ?

Pierre raconte tout à sa fille, sans rien oublier.

— C'est spécial en effet… Mais pourquoi la traiter de folle ?

— Pierrette, elle ne mérite plus que je lui adresse la parole. Jamais ! Elle est dérangée dans sa tête… elle a besoin d'aide.

— Je vois que tu es en colère…

— En effet… Jamais je ne lui pardonnerai de s'être fait passer pour sa jumelle Violette. Elle a joué avec moi. Elle s'est servie de moi… Comment penses-tu que je me sens, dans cette situation ? Je fréquentais sa sœur et c'était elle !

— C'est Béatrice que tu avais choisie, papa, pas Violette...

— Tu as raison. Violette n'a qu'essayé de me séduire et cela n'a pas fonctionné.

— Tu n'es pas tombé dans le piège de Violette...

— Mais c'était Béatrice ! Je courtisais Béatrice et je flirtais avec Violette qui était Béatrice ! Sans me douter, j'avais l'air d'un vrai fou devant Béatrice ! Elle s'est vraiment moquée de moi, je la déteste.

— Pourquoi la perçois-tu comme folle ou dérangée ?

— Tu prends sa défense, Pierrette ?

— Non ! Tout ce que je peux te dire c'est que moi, je vois en Béatrice une femme intelligente.

— Pardon ?

— Elle en voulait beaucoup à sa sœur et du fait même, elle l'enviait parce qu'elle était plus attirante. Nous ne pouvons pas tout savoir ce qui se passe dans la tête des gens, papa.

— Elle était jalouse de sa sœur.

— Pas nécessairement.

— Explique-moi alors.

— Je suis loin d'être psychologue. Ce que je pense, c'est que Béatrice désirait tout simplement peser le pour et le contre en prenant la personnalité de sa jumelle. Imagine-toi tous les efforts qu'elle a dû faire. Se coiffer à la dernière mode et se vêtir de vêtements qu'elle n'avait jamais osé porter auparavant.

— Elle n'était pas dans l'obligation de faire toutes ces excentricités pour essayer de me plaire ! Je ne comprendrai jamais son comportement troublé.

— Papa… lorsqu'elle a pris la décision de se faire passer pour sa jumelle, elle ne te connaissait pas. Elle le faisait pour elle.

— Elle aurait pu me le dire la première fois que nous nous sommes parlé ! Elle n'a pas été honnête envers moi et je ne lui pardonnerai jamais.

— Elle ne savait pas qu'elle aurait été attirée par toi !

— C'est pour cette raison qu'elle avait fait déménager Violette à Saint-Célestin. Elle était trop mêlée. Elle devrait avoir honte…

— Aujourd'hui, elle regrette… Je suis certaine qu'elle attend juste que tu lui fasses un signe.

— Elle va m'espérer longtemps, tu peux me croire ! Elle aurait pu m'expliquer ! Je suis passé pour un sans-dessein.

— Non, papa… je suis certaine qu'elle n'a jamais pensé cela de toi.

— Violette m'a même posté une lettre pour me prévenir qu'elle ne reviendrait pas tout de suite de Saint-Célestin vu la maladie de son père. Mais comment a-t-elle pu faire ? Sur l'enveloppe c'était bien précisé qu'elle venait de Saint-Célestin.

— Pourquoi ne pas l'interroger ? Elle t'expliquerait tout ! Si tu ne lui poses pas la question, tu resteras dans l'ignorance toute ta vie.

— Il n'en est pas question ! Je ne suis pas une marionnette qu'on manie comme bon nous semble. J'ai mon orgueil.

— Tu l'aimes ?

— Non !

— Papa…

— Je l'ai aimée, oui…

— Tu l'aimes encore ?

— …

— Lorsque ta colère sera tombée, peut-être lui demanderas-tu de clarifier tout ce qui s'est passé.

— Jamais ! Je suis trop humilié. Je préfère vivre en solitaire plutôt que d'être accompagné par une hypocrite.

— Mais elle t'a avoué la vérité !

— Je sais, mais ce qu'elle m'a fait est impardonnable. Je te remercie de ton écoute, Pierrette. Je pense que c'est la première fois que nous discutons ainsi tous les deux.

— Je t'aime papa…

— Moi aussi je t'aime, ma fille. Je croyais que tu m'en voulais toujours, depuis que ta mère Francine est décédée.

— J'ai compris des choses depuis qu'elle nous a quittés. J'étais jeune et dans ma petite tête d'enfant, si elle est partie si vite…

— De quoi m'accusais-tu, Pierrette ?

— Je ne comprenais pas pourquoi tu n'avais pas pu la sauver. Aujourd'hui, c'est différent, j'ai vieilli.

— Mais la sauver de quoi ? Elle est morte en quelques minutes ! Je ne suis pas médecin ni guérisseur ! À l'arrivée du taxi, elle était déjà décédée ! J'aurais tout fait pour qu'elle reste avec nous.

— Je sais… Mais quand j'étais haute comme trois pommes, je te voyais comme le héros de la famille et pour moi, rien ne pouvait arriver à maman tant que tu étais à ses côtés.

— Ma pauvre Pierrette ! Si j'avais pu donner ma vie pour qu'elle reste avec nous, je l'aurais fait. Oups, ça frappe à la porte. Attends-moi, je reviens.

— Bonjour monsieur Roy ! Qu'est-ce qu'il y a ? Un de mes enfants a téléphoné chez vous ?

— C'est votre garçon Paul, d'Amos.

— Il faut que je le rappelle ?

— Non. Il m'a tout simplement dit...

— Léonie et le p'tit vont bien ?

— Ils vont tous très bien... C'est le Château Inn où travaille votre fils... il a passé au feu.

— Voyons vous !

L'ancien Hôtel Desrochers érigé pour une seconde fois en 1928 est devenu le Château Inn en 1930. Agrandi en 1932 et 1938, aujourd'hui, il venait d'être la proie des flammes.

Bien sûr, Paul et Léonie sont bouleversés. L'hôtel sera rebâti mais en attendant, Paul devra partir à la recherche d'un nouvel emploi de barman pour subvenir aux besoins de sa famille et effectuer les versements de l'hypothèque de leur maison.

***

En ce début de novembre 1969, le vent refroidit les champs et amène sur les cours d'eau un petit givre qui ne persistera pas durant toute la journée. Les feuillus complètement nus chassent des volées d'oiseaux en espérant se recouvrir bientôt, si possible, d'un léger duvet blanc.

Sur la rue Notre-Dame, la pluie froide vient de cesser. Elle a laissé un miroir bleuté sur les longs trottoirs de béton.

Pour Pierre, la vie s'écoule doucement. Il a vaincu avec succès les épreuves infligées depuis le printemps précédent. Certes, il a trébuché quelques fois. Combien de fois a-t-il pris la décision de visiter la femme qu'il souhaitait épouser ? Il regrette de ne pas avoir fait suffisamment d'efforts pour comprendre le comportement de sa bien-aimée. Pour lui, le rêve d'une vie à deux s'est endormi au fil des mois.

Pierre vient d'entendre tinter le haut clocher de l'église de Saint-Pie invitant les ouailles du curé Brosseau à se rendre à la messe de dix heures.

Sur le parvis du lieu saint, le bedeau Petit saupoudre de sel les marches miroitantes de l'abbatiale pour éviter les chutes des paroissiens.

Endimanché d'un costume taupe et d'un pardessus de laine noire, Pierre Côté regarde défiler les fidèles dans le sanctuaire, sans vraiment les voir.

Agenouillée sur le prie-Dieu voisin, Béatrice a sorti un chapelet de sa bourse noire. Elle est élégamment vêtue d'un manteau bleu foncé et d'un béret en feutre noir accompagné d'un foulard de la même teinte. On peut distinguer ses cheveux bruns méticuleusement coiffés et un léger maquillage égaie son joli visage.

À la fin de la messe, les paroissiens se sont dirigés vers le portail, sauf Pierre. Il désire reprendre le chemin de sa demeure en ayant la certitude de ne pas croiser la femme qui, jadis, a dérobé son cœur.

— Bonjour Pierre... Vous allez bien ?

— Souffrance ! Est-ce que vous vous étiez cachée à l'arrière du presbytère pour m'attendre ? On dirait que vous êtes apparue en une fraction de seconde.

— Non, pas du tout… Si vous ne voulez pas me parler, je comprendrais.

— Alors, vous avez tout saisi ! Bon dimanche, Béatrice.

Pierre devance cette dernière pour se rendre chez lui, sans se retourner une seule fois sur son chemin.

« Pour qui se prend-elle, cette femme ? Elle croit que je vais tout effacer comme si rien ne s'était passé ! Allez au diable, mademoiselle Guindon ! Je ne désire plus vous croiser à Saint-Pie et je ferai tout pour ne pas sortir en même temps que vous sur ma galerie. »

***

Le samedi suivant, en sortant de la mercerie pour hommes Gilbert Ménard au coin des rues Bistodeau et Lafontaine, Pierre se dirige vers la rue Saint-François et immobilise sa voiture devant la cantine Riendeau, histoire de prendre un café et parcourir le journal pour prendre connaissance des dernières nouvelles.

— Bonjour Pierre. Comment allez-vous ?

— Qu'est-ce que vous faites ici, Béatrice ?

— Je travaille ici le vendredi et le samedi.

— Eh bien ! s'énerve le voisin de cette dernière en se levant promptement, prêt à prendre la poudre d'escampette.

— Où allez-vous, Pierre ? Attendez, voyons !

— Je n'ai rien à vous dire, mademoiselle Guindon ! Je vais dans un autre restaurant.

— Vous n'avez rien commandé !

— C'est juste ! Je m'en vais dans un autre établissement, là où vous ne serez pas. Bon samedi, Béatrice.

— Je voudrais vous parler… C'est important.

— Je n'ai rien à vous dire, lâche-t-il en s'esquivant, les joues écarlates.

CHAPITRE 15

Une invitation

Amos, 1er janvier 1970

Dans la matinée, Pierre prend la route pour se rendre festoyer chez son fils Paul et sa belle-fille Léonie en Abitibi-Témiscamingue.

Partout dans les champs, la neige drape le décor d'une blancheur aveuglante et les conifères exposent leurs habits de velours immaculés accompagnés de bonnets pointus.

Dans le village de Mont-Laurier, il stationne sa voiture sur l'accotement, histoire de se dégourdir les jambes et fumer une cigarette avant de franchir l'interminable parc s'étalant sur une longue distance de 300 kilomètres.

En allumant une cigarette, il s'immobilise sur le trottoir bétonné pour contempler une très vieille maison, située sur sa droite. Cette demeure est toute en bois et une longue galerie s'étale jusqu'à l'arrière-cour. Terne et défraîchie, mais tellement resplendissante ! Elle lui rappelle son enfance auprès de ses parents, Genève et Alcide Côté. Par contre, la maison semble avoir été volontairement laissée à l'abandon. La grande galerie est complètement défoncée et plusieurs carreaux sont brisés. On peut deviner qu'autrefois, elle a probablement abrité une famille nombreuse. Pauvre elle ! Le temps a fait son œuvre et elle meurt à petit feu. Les propriétaires l'ont tout simplement laissée mourir au lieu de la traiter avec attention.

« Cela n'a pas de bon sens de laisser une si belle maison se détériorer ainsi ! Si je ne demeurais pas si loin, je crois que je l'achèterais pour lui redonner sa jeunesse d'autrefois en lui laissant son cachet authentique. Je la peindrais en jaune... oui, en jaune... Un gros soleil jaune avec des portes bleues ! Souffrance, qu'elle est belle ! Bon, je dois y aller, mon fils et ma bru m'attendent. »

Après avoir roulé durant plus de trois heures et demie, Pierre fait un second arrêt dans la ville de Val-d'Or (la vallée de l'or) dans le but de se restaurer.

Il est 14 heures. « Une petite demi-heure pour me régaler avec ce délicieux club sandwich. À trois heures et demie, je serai sur le paillasson de la maison de mon fils Paul à Amos. Une semaine de congé loin de Saint-Pie, loin de Béatrice ! »

— Vous venez de Saint-Pie, dites-vous ? demande la jeune serveuse, vêtue de bourgogne et de blanc en lui remettant gentiment sa facture.

— Pardon ? Est-ce que nous nous connaissons, mademoiselle ?

— Hi ! Hi ! Mais non ! Lorsque je me suis présentée à votre table pour vous donner votre addition, vous parliez…

— … tout seul ?

— Bien oui ! lui avoue cette dernière, embarrassée.

— Ho ! Ho ! Cela m'arrive de me faire la conversation, sans m'en rendre compte, *miss* Dupuis.

— Hein ? Vous savez mon nom ?

— Il est sur votre insigne : Maria Dupuis. Un très joli prénom d'ailleurs ! avoue Pierre, en lui souriant avec courtoisie.

— Oh ! Merci, c'est gentil. Alors ? Vous êtes de Saint-Pie-de-Guire ou pas ?

— Oui je suis de Saint-Pie, mais Saint-Pie dans le comté de Bagot.

— Ah oui ?

— Saint-Pie est un petit village tout près de Saint-Hyacinthe.

— Ah ! Je vois. Si je vous ai mentionné Saint-Pie de Guire, c'est que mes parents y demeurent.

— Ah ! Mais, que faites-vous si loin de votre famille, mademoiselle Dupuis ? Vous êtes toute jeune, répond Pierre en la fixant, surpris.

— Et vous ? Je pourrais vous poser la même question ! poursuit la femme dans la vingtaine, aux iris cuivrés et au regard sympathique.

Après avoir discuté un peu avec la serveuse et payé la note, Pierre lui fit la promesse de faire un arrêt au resto en rentrant d'Amos.

***

— Bonjour, papa ! s'écrie Paul. Je suis tellement heureux de te voir ! Entre, il fait un froid de canard. Tu as fait bonne route ?

— Excellente, mon gars ! Mais... je dois t'avouer une chose...

— Mon Dieu ! Qu'est-ce qu'il y a ? demande son fils, inquiet.

— Vous restez à l'autre bout du monde, souffrance !

— Ho ! Ho ! Tu m'as fait peur, toi ! C'est loin, oui, mais nous sommes privilégiés de pouvoir profiter de toi durant une longue semaine. Ne crains rien, tu auras l'impression de séjourner à l'hôtel. Tu n'auras pas le droit de toucher à quoi que ce soit. Seulement te faire servir comme un invité de marque. En passant, c'est toi qui demeure loin, pas nous !

— Ho ! Ho ! Je sens que je vais être un homme comblé ! Ça va me faire du bien de petites vacances. Léonie n'est pas là ?

— Elle est partie faire quelques courses. Elle revient dans cinq minutes tout au plus.

— Les magasins ouvrent leurs portes le premier de l'an à Amos ?

— Tout est fermé, sauf l'épicerie Tétrault qui est ouverte jusqu'à quatre heures. Léonie avait besoin d'aspirine rose pour Pascal.

— Il est malade, le p'tit ? s'inquiète le grand-père en enlevant son manteau et ses bottes.

— Un simple rhume... Il va s'en remettre, ne crains rien. Il a la couenne dure notre fils.

— Ah ! J'aime mieux ça... Il dort présentement ? J'ai hâte de le voir... de le prendre pour le bercer dans cette belle grosse berçante qui m'a l'air bien confortable.

— Je t'y mettrai un coussin, tantôt. Pour le p'tit, cela ne devrait pas tarder avant que tu ne l'aies dans les pattes. C'est son heure de sortir des bras de Morphée.

Léonie entre, frigorifiée. Heureuse, elle embrasse son beau-père en lui souhaitant la bienvenue sans omettre ses meilleurs vœux pour la nouvelle année 1970.

— Bonjour ma belle-fille ! Tu es en pleine forme, toi !

— Ouais... en forme, pour une femme qui n'arrête pas de grossir, vous voulez dire, monsieur Côté ?

— Mais non ! Je te trouve vraiment resplendissante ! lui avoue Pierre, même s'il voit bien les rondeurs de la femme de son garçon.

— Ah bon ! Je vous remercie de ne pas trop remarquer mes bouffissures, alors ! Dès demain, je vais m'y mettre... j'aimerais me débarrasser d'un bon 20 livres. Depuis que j'ai eu le petit..., je n'ai jamais perdu toutes ces livres que j'ai prises durant ma grossesse. C'est lamentable ! Depuis l'accouchement je n'ai jamais pu reprendre mon poids santé ! s'exclame la jolie femme boulotte. Je vais préparer un percolateur de café. Je vais aussi vous apporter de bons biscuits au caramel !

Léonie dépose la collation et les tasses à café sur une desserte qu'elle fait rouler jusqu'au salon.

— Voilà un bon café chaud. Sans oublier la bouteille de cognac pour réchauffer le « canayen », comme on dit !

Léonie s'installe sur le divan avec une tasse de café et trois biscuits au caramel.

— Hey, mon p'tit canari ! Tu n'as pas dit plus tôt que tu te mettais à la diète ?

— Paul... Je vais commencer une diète, mais demain. Aujourd'hui, c'est le jour de l'An, mon mari. Je ne suis pas pour me martyriser toute la journée avec ça, hein ?

— Bien oui ! répond l'homme de la maison, rempli de compassion envers sa femme qui a un gros penchant pour les aliments sucrés. Ce serait vraiment désolant de te priver, le jour où nous venons d'enjamber la nouvelle année 1970.

— Voilà ! Tu as tout compris, minou..., renchérit-elle tout en mordant dans sa pâtisserie préférée. Tout va changer demain, mettre le sucré de côté est ma résolution du jour de l'An.

En se tournant vers son beau-père installé dans la bergère caramel, qui saupoudre son café de sucre, Léonie reprend la parole :

— Ce soir, monsieur Côté, vous allez faire la connaissance de ma mère.

— Vraiment ?

— Oui, je l'ai invitée à souper avec nous. Vous verrez, elle est bien fine.

— J'espère qu'elle n'est pas trop gênante, tu sais que je rougis assez facilement...

— Il n'y a pas de danger, monsieur Côté... Elle est simple, elle aime la vie et, tout comme moi, elle a un petit penchant pour les biscuits au caramel ! Hi ! Hi ! Telle mère, telle fille ! Sauf qu'elle est toute menue et elle a une forme physique impressionnante.

— Ah bon ! murmure Pierre, incertain.

***

Le repas composé de dinde, de pommes de terre pilées, de tourtière et de sauce aux canneberges, fut louangé de tous bords tous côtés. Jasmine Labrie a une affection particulière pour les biscuits au caramel, le gâteau au chocolat, la tarte aux pacanes et les confiseries comme les lunes de miel, les croustilles et le beurre d'arachide. Mais où peut-elle donc stocker toutes ces friandises à voir sa silhouette finement esquissée aux formes parfaites ?

À 40 ans, Jasmine Labrie vit dans le veuvage depuis 20 ans. Jamais elle n'a donné la chance à un homme de reconquérir son cœur depuis le décès de son mari Jean-Pierre en 1950.

Pierre et Jasmine se sont retrouvés en tête à tête étant donné que leurs hôtes les ont laissés pour récurer la vaisselle et border leur fils Pascal.

— Qu'est-ce que vous faites de vos journées, Jasmine ? Vous ne trouvez pas cela trop long depuis que vous demeurez seule ?

— Je n'ai pas une minute devant moi, Pierre ! Je travaille à temps partiel à la nouvelle bibliothèque municipale d'Amos.

— La nouvelle bibliothèque ?

— Exactement. Elle a été inaugurée le 17 juin 1968. Avant, elle portait le nom de Bibliothèque de la paroisse Sainte-Thérèse d'Amos.

— Elle a seulement changé de nom ? Ou bien a-t-elle été déménagée ailleurs ?

— Elle est dans l'édifice du centre culturel qui a également été institué en 1968.

— Ah bon ! Et quelles sont vos autres activités ? s'intéresse Pierre, en se versant une seconde tasse de café. Vous en voulez une deuxième tasse ?

— Non merci, je ne dormirai pas de la nuit. Moi et la caféine ne faisons pas bon ménage, dit-elle en souriant.

— Excusez-moi, Jasmine ? s'excuse Pierre, revenant à la charge, tant il est impressionné par ce petit bout de femme très intéressante.

— Oui, Pierre ?

— Pourquoi travailler à Amos, si vous demeurez à Val-d'Or ? Cela vous fait tout de même deux heures de voiture pour un aller-retour ?

— Je ne m'y rends que deux jours semaine et j'adore faire la route ! J'aime aussi beaucoup ce travail où je rencontre des gens bien sympathiques.

— Ah bon ! Continuez… excusez-moi, je vous ai coupé la parole tantôt.

— Ce n'est rien. Voilà… je travaille également à la billetterie du Palais des sports.

— Vous êtes une femme très occupée ! C'est un aréna ?

— Exactement. Ils sont en train de terminer la construction des gradins de béton, le hall d'entrée et le restaurant. Il sera beaucoup plus fonctionnel pour les visiteurs qui viennent souvent accompagnés de toute leur famille.

— Je vois… Vous bougez beaucoup, à ce que je vois… un petit boute-en-train, dit-il en lui lançant un clin d'œil.

— Il le faut, depuis que Jean-Pierre est parti, j'ai liquidé tous les biens pour me retrouver en logement, je vous avoue que j'ai besoin d'exercice et de ces petits divertissements. Pas pour le côté monétaire, mais pour ne pas sombrer dans l'ennui.

— Je comprends… Que faisait votre mari ?

— Nous avions une terre agricole. J'adorais travailler auprès de lui tous les jours. Lorsqu'il est décédé, Léonie était encore au berceau. Vu que je ne pouvais pas rester seule et prendre la relève, j'ai tout cédé les biens en échange de sommes ridicules.

— Vous avez tout fait sans être aidée de votre famille ou de vos voisins de rang ?

— Exactement ! Vous savez… j'étais au courant de tous les prix que je pouvais demander pour la totalité des biens de la ferme. Alors, j'ai fait un encan. J'ai vendu la terre avec toutes les bâtisses, le roulant et les animaux. Mais j'ai dû aussi faire un second encan pour liquider les outils restants. J'ai aussi cédé à un prix très bas une voiture à cheval d'été, une d'hiver, des harnais et un tracteur.

— Oh ! Vous étiez, comme on dit, une fermière née ? la complimente Pierre impressionné.

— J'adorais ! Mais aujourd'hui, j'accepte ce que la destinée m'offre et je suis heureuse de la route que j'ai pu prendre. Je crois que j'ai vraiment fait le bon choix. Et vous ? Depuis tantôt que je babille, est-ce que vous pourriez me parler un petit peu de vous et de votre carrière de meunier ?

— Oh ! Vous savez, je n'ai pas une vie palpitante comme la vôtre, chère dame !

— Allez ! Racontez-moi. J'adore les histoires ! l'encourage Jasmine en s'installant confortablement, en croisant ses jolies jambes.

Pierre lui dévoile tout : Francine, les enfants, son travail, sa rencontre avec Béatrice.

— Vous n'avez aucun frère ni sœur, Pierre ?

— Eh non ! Je suis fils unique. J'aurais bien aimé avoir un ou deux petits frères.

— Seulement des petits frères ? le questionne-t-elle en levant la tête étonnée.

— Oui ! Pas de sœur... Les femmes sont trop... comment dirais-je ? Heu... précieuses et larmoyantes.

— Pierre ! s'esclaffe Jasmine, en lui lançant le coussin qu'elle tenait entre ses mains.

— Ho ! Ho ! Je vous ai eue, là ! J'aurais aimé avoir au moins trois sœurs. Une pour me défendre lorsque mes parents me grondaient et une autre pour aller faire les courses. Je déteste me rendre au dépanneur du coin, à l'épicerie et dans les boutiques de vêtements. Et aussi, une troisième sœurette... pour me présenter ses petites amies de classe !

— Pierre Côté ! Vous êtes un petit taquin, vous !

— Ho ! Ho ! C'est plaisant de jaser avec vous, Jasmine, vraiment. Vous êtes vraiment rafraîchissante.

— Je vous trouve très sympathique aussi, Pierre. J'espère que nous aurons l'occasion de nous croiser une seconde fois durant votre séjour à Amos.

— Comptez sur moi ! Vous travaillez à la bibliothèque cette semaine ?

— Je ne travaille pas à la biblio avant la deuxième semaine de janvier. Je suis en congé.

— Zut !

— Par contre, cette semaine, je serai au Palais des sports.

— Alors je vais supplier ma belle-fille Léonie de vous réinviter à souper.

— Bonne idée ! Si elle refuse, vous n'avez qu'à m'en faire part. Vous n'ignorez pas que je suis sa mère, tout de même ? Je n'ai pas besoin d'invitation, la plupart du temps, je me présente ici quand je le désire et ils sont toujours contents de me voir… enfin… c'est ce que je pense.

— Jasmine… Vous me paraissez tellement jeune, j'avais oublié que vous étiez une maman.

— Voyons, Pierre ! Je ne vous crois pas ! lance Jasmine, mal à l'aise.

— Je vous dis la vérité, Jasmine. On pourrait même dire que vous êtes la sœur de Léonie, tellement vous paraissez bien.

***

Saint-Pie

Pourquoi Béatrice n'est-elle pas allée rendre visite à ses parents à Saint-Célestin ?

« J'aurais pu au moins les appeler pour leur souhaiter bonne année. Je suis certaine que monsieur et madame Roy n'auraient pas eu d'objection à me prêter leur téléphone. »

Béatrice travaille toujours à la cantine Riendeau sur la rue Saint-François. « Si je peux me trouver autre chose… Ce n'est pas pour moi le travail de serveuse.

Non, pas pantoute », murmure-t-elle, en se levant pour préparer son repas du midi.

Depuis sa rupture avec Pierre, elle fait tout pour se motiver à occuper son temps libre : elle brode, tisse, s'adonne à la couture, elle marche tous les jours et se présente assidûment à la messe du dimanche matin à l'église de Saint-Pie.

En ce jour de congé, sous le ciel clair, elle se rend à son lieu de travail pour manger un *hot chicken*.

En rentrant chez elle, elle observe la maison de son voisin par la fenêtre adjacente de sa demeure. Elle n'ignore pas que depuis le 1er janvier, Pierre a quitté Saint-Pie pour probablement rendre visite à l'un de ses enfants, soit à Saint-Dominique, Saint-Hyacinthe ou en Abitibi-Témiscamingue.

Ce matin elle a appris de Pierrette : « Mon père est en vacances chez mon frère Paul en Abitibi. »

> « Mon Dieu que j'ai été niaiseuse de vouloir mettre les robes, le parfum et les souliers à talons hauts de ma sœur ! Jamais qu'il me pardonnera mon étourderie ! Je regrette tellement le mal que je lui ai fait ! En plus, je vais à la messe tous les dimanches pour essayer de le croiser, même si je ne suis pas plus près du bon Dieu qu'avant. J'ai essayé de le prier, mais il ne m'écoute pas. Au lieu d'envoyer Pierre cogner à ma porte, il l'a envoyé se promener pour que je reste toute seule à me morfondre, saint citron. Pourtant..., j'ai déjà entendu dire que le bon Dieu est un vieux monsieur qui aime se faire prier ! C'est ce que je fais prier, et il fait fi de mes demandes.

Pff… Quand Pierre va revenir, il va passer devant ma maison sans même regarder si je suis encore vivante. Je ne suis qu'une simple voisine pour lui… oui une voisine qu'on ne voisine pas pantoute, parce qu'elle est dérangée, la madame. Même si j'essaie de lui parler, il va me donner une belle grappe de bêtises », songe Béatrice en montant à sa chambre, pour y mettre de l'ordre et peut-être vider le coffre de sa jumelle qui contient plusieurs effets inutiles. « Je vais faire un gros sac et tout donner à une paroisse. Je n'irai surtout pas les porter au presbytère de Saint-Pie. Je n'ai pas envie de rencontrer une femme avec le linge de ma sœur sur le dos. Désolée, ma sœur, tout est fini, je vide ton gros coffre et je t'oublie… je te mets de côté pour un maudit bout, saint citron ! »

En ouvrant le grand coffre brun, un nuage de nostalgie enveloppe son cœur et la rend triste, malgré le peu qui les unissait. « Bah ! Je vais faire ça demain… J'ai ce coffre depuis 1941… il peut bien attendre une journée de plus. »

On toque trois petits coups à la porte. Béatrice se précipite pour répondre, croyant Pierre de retour.

— Bonsoir madame Guindon, dit monsieur Roy, en levant son chapeau en signe de salutation.

— Ah ! Bonsoir. Tout va bien ? Madame Roy n'est pas malade, j'espère ?

— Non ! Non… ma femme est en pleine forme, madame ! Elle m'envoie pour vous inviter à souper demain soir.

— Comment ça ? demande Béatrice étonnée, en enfouissant ses mains dans les poches de son long tablier rouge parsemé de feuilles de gui.

— Voyons, madame Guindon ! Vous avez passé le jour de l'An toute seule, c'est bien assez ! Il faut que vous sortiez de votre demeure un petit peu !

— Je suis confortable dans ma maison, monsieur Roy ! Je vous remercie pour votre invitation. Remerciez aussi votre femme pour moi.

— Faites-nous donc plaisir, madame Guindon ! Ma femme aimerait ça vous recevoir et jaser avec vous.

— Ah bon ! C'est correct, d'abord. Mais j'apporterai le dessert… j'ai fait des carrés aux dattes cet après-midi.

— Eh bien ! C'est mon dessert préféré !

— Vraiment ? C'est mon dessert préféré aussi et celui de Pierre ! Heu… je veux dire, celui de monsieur Côté.

— C'est spécial de ne pas voir de lumière chez lui, depuis le 1er janvier. Ça va lui faire du bien, ces vacances. Il travaille beaucoup à la meunerie, ça va le reposer du bruit.

— Oui, en effet… il est probablement parti chez son garçon Paul…

— Exactement, pour une semaine. Il me l'avait dit et m'avait demandé de jeter un coup d'œil sur sa maison durant son absence. Alors, nous vous attendons pour cinq heures, demain soir, madame Guindon ?

— D'accord, je serai chez vous à cinq heures, avec les carrés aux dattes.

***

Dans la soirée, en rentrant de chez les Roy où elle avait été bien accueillie, Béatrice jette un dernier regard par la fenêtre de la cuisine avant d'aller dormir. Le tapis blanc ressemble à un duvet rempli d'étoiles et le ciel opaque s'éparpille à l'infini. « Bon... il est assez tard... bonne nuit ti-Jésus. »

Cette nuit-là, elle s'assoupit très tard. Le passé avait refait surface et les larmes avaient roulé une bonne partie de la nuit sur ses joues. Elle en veut à sa jumelle de s'être introduite à nouveau dans ses rêves. Aussi, elle regrette de n'avoir pas suffisamment appris de cette vie alors qu'elle demeurait chez ses parents. « Je ne sais pas si j'étais assez instruite pour Pierre. Pourtant, quand nous avons fait l'amour pour la première fois, il était si doux ! Est-ce qu'il aurait continué à sortir avec moi si je ne lui avais jamais dit que j'étais Violette ? Je ne sais pas s'il m'aimait vraiment », pense-t-elle en s'endormant, les yeux humides.

CHAPITRE 16

Cher Journal

8 janvier 1970

Ç'en est assez ! Béatrice décide de retirer le contenu du coffre de sa jumelle dans sa totalité. Même qu'elle ne conservera rien de la famille qui puisse lui rappeler de mauvais souvenirs. « Même vide, je vais toujours avoir Violette devant ma face... C'est terminé ! Oui, bien F-I-N-I ! »

Béatrice remplit trois énormes sacs : robes, jupons, chemisiers de toutes les teintes, flacons de parfum et plusieurs pendentifs, tous accompagnés d'un bracelet ou de boucles d'oreilles. Au creux du coffre ne restent que des magazines, des fuseaux de fil à broder, quelques crayons de plomb et du papier à lettres jauni par les années.

— Eh bien ! La petite cachottière avait un journal intime ! s'exclame Béatrice en prenant dans ses mains le livret tapissé de velours bleu incrusté d'une mini fleur rose.

— Mon Dieu ! Elle le tenait depuis l'âge de dix ans ? Je vais descendre pour le brûler et je vais *feeler* mieux, après.

Elle se prépare un bol de crème glacée nappé de confiture aux fraises et s'installe au salon. Avant de poursuivre la lecture d'un roman entamé deux jours plus tôt, elle couvre ses jambes d'une catalogne et prend soin de la retourner sur ses pieds pour les garder au chaud. Après avoir parcouru quelques lignes de son roman, elle regarde le livre intime de sa sœur Violette posé sur le coin du buffet de la cuisine.

« Si je lisais juste quelques lignes ? Ce ne serait pas de violer son intimité ? C'est ma jumelle ! J'ai vécu à ses côtés durant 15 ans ! Tiens ! Seulement les dernières pages... Elle ne doit pas avoir écrit dans ce journal jusqu'à 15 ans, quand même ! » se convainc Béatrice en s'emparant du petit recueil, la main tremblante. « J'en ai déjà eu un aussi, il était rose avec une fleur bleue. Six mois après avoir presque rien écrit dedans, je l'ai jeté. Pourquoi raconter sa vie à des feuilles blanches ? J'aimerais bien savoir qui a commencé cette coutume-là, moi ! »

Mon cher journal,
Aujourd'hui, je vais chez une avorteuse, à Grand-Saint-Esprit avec mon amie Josette.

— Mon Dieu ! Elle a écrit ces mots le jour où elle est morte !

J'ai demandé à Béatrice de me prêter l'argent qu'il me manque. Au début, je lui ai mentionné que cet argent était pour m'acheter une nouvelle robe pour

la prochaine soirée dansante à la salle paroissiale. Elle ne m'a pas cru ma petite sœur. Elle sait bien que mon grand coffre est rempli de vêtements que je n'ai jamais eu l'occasion de porter et que je n'ai qu'à en choisir une dans ma garde-robe.
Je n'ai pas eu le choix de m'incliner et lui apprendre que j'ai été engrossée. Je lui fais confiance, elle ne le dira pas à nos parents. Je vais me faire avorter et personne ne sera mis au courant, à part elle.
Pour le nom du père de mon bébé, elle soupçonne Marcel Vanier et c'est très bien comme cela. J'aurais eu trop honte de lui avouer que c'est mon père qui m'a fait cet enfant que je ne désire pas mettre au monde.

— Oh non ! pleure Béatrice, en déposant le petit livre sur ses genoux.

Si un jour ce dernier me demande de le suivre à la pêche prétextant prendre du poisson pour le souper... Je ne sais pas ce que je vais faire. C'est écrit dans le ciel que jamais il ne posera à nouveau ses mains sur moi ! Je me sens si sale, depuis le jour qu'il m'a fait cela sur le bord du ruisseau !
Une chance que mon amie Josette me soutient dans cette épreuve ! Je ne peux pas compter sur ma sœur Béatrice, elle me déteste. Elle m'a traitée de tous les noms lorsque je lui ai annoncé que j'attendais un enfant. Ce petit bébé qui, cet après-midi, aura quitté mes entrailles à tout jamais. Oui je suis triste... un peu... j'ai du chagrin... Mais je ne peux pas laisser grandir en moi l'enfant du péché : surtout

pas celui de mon père Eugène. Si je décide de le garder, il faudrait que je déménage de la maison et je n'ai aucune place où m'installer. Je ne souhaite pas me retrouver dans un couvent de bonnes sœurs qui méprisent les filles-mères en leur donnant une tonne de travaux à faire jusqu'au temps qu'elles accouchent. Je ne le supporterais pas.
Je ne faisais rien de mal à côté du ruisseau lorsque mon père est apparu devant le buisson... Il faut que je me touche, mon corps en a besoin. Je ne dérange personne, tous ces gestes m'appartiennent. Je suis consciente que je n'ai pas le droit de me caresser ainsi, mais mon intérieur souffre, il en demande tout le temps et je n'ai pas le choix d'assouvir mes désirs. Cette petite sève qui s'élève en moi ne fond pas avant que je l'aie expulsé de mon corps. Que Dieu expie mes fautes et qu'il pardonne aussi à mon père, car il ne sait pas ce qu'il fait. Je le vois dans son regard quand il m'approche, ses yeux me lancent de la haine et on dirait qu'il en a besoin lui aussi. Enfin, je pense... Il m'effraie, oui, il me fait très peur et c'est pour cette raison que je suis incapable de le repousser. Je suis assurée qu'il m'aime, mais pas de la bonne façon, pas comme un père qui aime sa petite fille qu'il veut protéger. Je n'ai pas d'autre choix que de l'écouter, de peur qu'il informe ma mère des péchés de la chair que je commets tous les jours. Pauvre maman, jamais je ne lui dirai que son mari a fait un enfant à sa petite fille préférée !

Tout ce que je demande, c'est qu'en rentrant du village de Grand-Saint-Esprit, ma jumelle ne dévoile jamais mon secret, j'ai assez honte comme ça. Je me sens sale et peut-être qu'après l'intervention, je me sentirai un peu apaisée de savoir que l'enfant de mon paternel ne grandira plus en moi.
Ce sera quand même difficile pour moi de vivre avec ce fardeau que je porterai sur mes épaules jusqu'au temps d'avoir des cheveux gris. Même en haut, je serai reçue par Dieu comme Marie-Madeleine, la grande pécheresse. Saint-Pierre s'occupera lui-même de me donner mon nuage noir pour me descendre en enfer, là où mon père purgera sa peine depuis des années. Je souhaite seulement que nous ne logions pas côte à côte dans l'éternité des flammes.
Je dois aller voir mon père et ma sœur pour leur porter une collation avant de rejoindre Josette. Ils réparent la clôture qu'une vache a jetée par terre pour venir s'empiffrer des légumes de notre potager. Je reviens tout te raconter ce soir, mon cher journal. Je regrette le geste que je m'apprête à poser. Ce petit être qui n'a pas demandé à être conçu dira à tout le monde au Ciel: « En cette journée atroce, ma maman m'a tuée alors que je ne commençais qu'à essayer de m'accrocher à elle. »

— Oh! pleure Béatrice, chavirée. Pourquoi m'avoir caché que c'était notre père, ce pervers? Et maman dans tout ça? Il faut qu'elle sache! Mon père est un cochon de la pire espèce! Eugène Guindon a fait un bébé à ma jumelle et pour ne pas que ma mère l'apprenne, ma sœur est morte ! Non ! Non et non ! Je rêve ! se plaint-elle, la tête coincée entre les mains, la respiration saccadée.

La nuit est remplie de cauchemars et de larmes. Au réveil, Béatrice prend la décision de remplir sa valise et d'emprunter le service d'autobus pour se rendre à Saint-Célestin.

En sortant de chez elle pour se diriger vers le terminus, elle aperçoit la voiture de Pierre stationnée dans l'entrée. « Tiens ! Il est revenu d'Amos, celui-là ! » Une folle envie de frapper chez lui s'empare d'elle, mais elle se résigne à poursuivre son chemin.

***

Saint-Célestin

Béatrice pose les pieds sur le paillasson de la maison de ses parents à 13 heures. Une toute petite demeure ne ressemblant aucunement à la maison familiale où elle avait passé son enfance et une grande partie de sa vie d'adulte a bûcher sur la terre. Elle frappe à trois reprises sans que personne ne vienne ouvrir. La température est glaciale et elle frissonne. Cette dernière se prépare à quitter les lieux lorsqu'une voix l'interpelle :

— Madame ! crie la voisine d'en face en lui faisant signe de la main. Vous cherchez monsieur et madame Guindon ?

— Oui, je suis leur fille. Vous savez où ils sont ? Ils ne doivent pas être bien loin avec ce froid ! Mon père est en fauteuil roulant... Il n'est tout de même pas allé se promener avec toute cette neige! s'étonne la visiteuse frigorifiée en se frictionnant les mains.

— C'est certain, mademoiselle Guindon! Je les ai vus partir tôt ce matin. Monsieur Guindon doit être à l'hôpital en ce moment pour ses exercices de routine.

— Ses exercices? s'informe Béatrice, en traversant la rue pour se diriger vers son interlocutrice qui s'était camouflée derrière la porte entrouverte de sa demeure pour se protéger du froid.

— Pauvre homme… Il espère remarcher un jour. Il est parti en taxi après le dîner avec votre mère. Venez vous réchauffer dans la maison, mademoiselle. Vous n'êtes pas pour les attendre dehors avec cette température glaciale. Cela n'a pas de bon sens, vous allez virer en statue de glace! Allez! Je vous fais un café pour vous réchauffer, dit la femme corpulente au regard sympathique en l'invitant à entrer.

— Merci, madame! Vous êtes très aimable, apprécie Béatrice, après avoir secoué ses bottes sur le paillasson. Vous connaissez bien mes parents?

— Vous savez… tout le monde se connaît dans ce petit village. Votre mère Marie-Blanche est bonne avec moi. Depuis que mon mari Adélard est mort, il y a deux ans, elle est toujours venue prendre son thé avec moi l'après-midi. Puis quand elle part longtemps pour faire ses commissions ou bien pour d'autres affaires, je rends visite à votre père pour lui tenir compagnie et le surveiller pour ne pas qu'il se lève de son fauteuil roulant, la rassure la femme vêtue d'une robe noire au décolleté assez proéminent.

— Ah bon ! lâche Béatrice en la fixant, d'un air soupçonneux. « Bon, le père s'envoie en l'air avec la voisine, asteure ! »

— C'est la première fois que je vous rencontre... Vous n'êtes pas souvent venue visiter vos parents depuis qu'ils ont déménagé sur la rue Marquis, constate Janette Aubert, avec un regard soupçonneux.

— C'est un fait madame... c'est quoi votre nom ?

— Excusez-moi, j'ai oublié de me présenter. Je suis Janette Aubert... enchantée de faire votre connaissance, mademoiselle Guindon. Votre mère m'a appris que vous aviez une jumelle aussi ?

— C'est ça... elle s'appelait Violette, l'informe cette dernière en acceptant le café que lui tend cette femme bizarre, mais généreuse.

— Pauvre petite... Ta mère m'a dit qu'elle avait fait une hémorragie et qu'elle est morte au bout de son sang... Elle est décédée bien jeune, la petite. Elle était au début de sa vie cette enfant. Dans la fleur de l'âge, non, dans sa puberté, je dirais plus.

— Oui, c'est ça..., murmure Béatrice, ne sachant quoi lui répondre.

— Ce n'est pas drôle... Une si jeune personne, partir aussi rapidement sans que le docteur ne sache de quoi elle souffrait. Ta mère m'a même dit que le docteur n'avait rien pu faire pour la sauver parce que ça s'était fait trop vite.

— En effet, confirme Béatrice en baissant son regard, pour siroter un peu de café sucré, du bout des lèvres.

— Le temps se chagrine... On va encore avoir de la neige, mautadine ! s'impatiente l'imposante femme en se dirigeant vers la fenêtre de son salon.

— On n'a pas fini d'en avoir, on est juste en janvier ! renchérit Béatrice, venue la rejoindre pour regarder vers la maison de ses parents. Vous êtes certaine qu'il va neiger, madame Aubert ? Je vois encore un coin de ciel bleu là-bas...

— Bien oui, ma fille ! Un cheval pourrait voir ça avec ses oreilles ! Y a un gros cul noir à droite dans le ciel... regardez, là-bas... Pis ça s'en vient par ici, ma chère.

— Hi ! Hi ! Ça fait longtemps que je n'avais pas entendu cette expression. C'est vrai, vous avez raison, c'est pas mal gris au loin. Bon, les voilà ! Le taxi vient d'arriver devant leur maison. Il n'est pas trop tôt, saint citron !

— Ils vont être heureux de vous voir, je suis contente pour eux et pour vous.

— Moi aussi, je vais être contente de les voir, mais pas pour la même raison qu'eux... J'ai des choses à éclaircir, grommelle la sœur de Violette, entre ses dents.

— Oh ! J'ignore ce dont il s'agit, mais j'espère pour vous que tout va s'arranger avec vos parents. Vous savez que c'est les seuls parents que vous avez... des fois y faut mettre de l'eau dans son vin comme on dit.

— Oui, je sais. Mais l'eau que j'ai toujours mise dans mon vin a toujours tourné au vinaigre, vous comprenez, madame Aubert ?

— Ouais... pas facile des fois. Quand j'étais jeune, je me tiraillais souvent avec ma mère. On n'y échappe pas, vous savez. C'est la vie. Elle avait continuellement de quoi à me reprocher. Pour elle, j'étais le mouton noir. Elle aimait ben plus ma sœur Marcelline.

— Ah bon ! Alors, bienvenue dans le club, madame Aubert ! Je vais vous laisser... Je vous remercie infiniment pour le café. Il m'a bien réchauffée.

— Revenez donc me faire une petite visite avant de repartir pour Saint-Pie. C'est là que vous restez, à Saint-Pie ?

— Oui, je vois que vous êtes bien informée, lui sourit la femme en endossant son manteau noir.

— C'est votre mère qui me l'a dit.

CHAPITRE 17

Abréaction

Lorsque Béatrice traverse la petite rue, de gros flocons s'étalent sur ses épaules frileuses.

Depuis que cette dernière a quitté la ville de Saint-Pie, une seule idée trotte dans sa tête, celle de venger sa sœur. Au même moment, tout ce qu'elle a mémorisé pour dire à son père devient comme un grand trou noir dans sa tête. Doit-elle informer sa mère de ce que son père a fait à sa sœur Violette en 1941 ? Même si Marie-Blanche a toujours préféré sa jumelle, est-ce qu'elle mérite un tel chagrin, au point d'être anéantie à tout jamais ?

Marie-Blanche détient son lot de souffrances depuis des années, dont un mari ivrogne et dominant ayant une énorme pierre à la place du cœur. Pourquoi en rajouter pour accabler cette pauvre femme plus qu'elle ne l'est ?

Béatrice n'est plus certaine du bon sens de ses pensées. Avec un léger tremblement, elle frappe à la porte de la maison de ses parents. « Advienne que pourra, que Dieu me protège ! »

— Ça cogne à porte, Marie-Blanche, es-tu sourde ? s'écrie Eugène, toujours ancré dans son fauteuil roulant, tandis qu'il se confectionne des cigarettes sur la table en chêne de la cuisine.

— Oui, j'y vais, Eugène. J'étais en train de serrer tes médicaments dans la pharmacie. Je n'ai pas entendu frapper.

Marie-Blanche Guindon a pris un coup de vieux. Elle se déplace à pas feutrés et ses cheveux sont désormais drus et parsemés de filets argentés. Malgré l'arthrose qui la tiraille au petit matin, sa santé n'est pas si mauvaise.

Son conjoint Eugène a considérablement grossi dû à un manque d'exercices et d'activité physique. Son médecin lui a fortement conseillé de suivre ses directives étant donné son taux de cholestérol élevé, mais il continue de s'empiffrer de tous les aliments malsains qu'il demande à sa femme de lui acheter à l'épicerie du village. Dans la maison, il est devenu pour sa femme un fardeau de tous les jours. Marie-Blanche ne cesse d'obéir à ses caprices, même si elle est consciente que ce dernier dépasse la mesure face à sa bonté.

— Mon Dieu ! Une apparition ! s'écrie-t-elle, surprise, en reculant.

— Bonjour, m'man... Ça fait longtemps ?

— Trois ans ! Enfin, tu t'es décidée à venir nous voir ! s'exclame sa mère heureuse, en fixant sa fille de la tête aux pieds.

— Tu ne m'invites pas à entrer, m'man ? Parce que là, je suis gelée. Il fait froid en saint citron, dehors !

— Oh ! Excuse-moi... viens ma fille... Eugène ! Nous avons de la belle visite.

— Ah ben ! Je pensais que t'étais morte toé ! lâche le père de famille en jetant un regard dénué d'expression vers sa fille.

— C'est Violette qui est morte, p'pa. Je suis toujours en vie, moi. C'est vrai que cela fait assez longtemps que je ne suis pas venue à Saint-Célestin. Je suis désolée de vous décevoir, mais j'existe encore. Que vous le vouliez ou non, je suis là.

— Pourquoi tu me dis ça avec des yeux mauvais ? demande son père, désintéressé.

— Pour rien... Je vais me faire un café, m'man.

— Assieds-toi à côté de ton père, je vais préparer ton café avec du lait et du sucre, comme tu l'aimes. Tu aurais pu nous écrire pendant ces trois longues années. Les seules nouvelles que j'ai eues de toi, ce sont celles que j'ai soutirées à Josette. Tu lui écris et nous, on ne reçoit jamais rien de toi. Tu n'es pas correcte, ma fille. On est tes parents. La moindre des choses aurait été que tu te manifestes. Nous étions inquiets.

— Bien oui, bien oui... Cela aurait changé quoi, que je vous écrive ? En tout cas, laisse tomber, je ne veux pas m'étendre sur le sujet. Tu vois Josette encore ?

— Je la vois les dimanches à l'église...

— Qu'est-ce qu'elle t'a dit sur moi ? s'inquiète Béatrice, en versant du lait dans son café brûlant.

— Elle m'a simplement dit que tu allais bien et que tu aimais vivre dans la maison de ta tante et de ton oncle à Saint-Pie. Aussi... tu travailles toujours à la cantine Riendeau, comme serveuse ? C'est Josette qui me l'a appris.

Son père eut un petit rire sarcastique.

— Qu'est-ce qu'il y a p'pa ? lui demande Béatrice, interloquée.

— Une *waitress*... Pff !

— Bien quoi ?

— Rien... je pensais pas que t'étais capable de travailler dans un restaurant. Une serveuse ! T'aurais pu trouver autre chose ? Une serveuse de restaurant ! Tu dois passer pour une fille facile, à Saint-Pie ?

— Tu n'as pas changé toi, hein ? Toujours aussi rabaissant ! l'accuse sa fille, hors d'elle, en s'allumant une cigarette. Ce n'est pas parce que j'ai travaillé sur votre terre pendant des années pour vous torcher que je n'ai pas la vocation de faire autre chose de mes dix doigts ! Tu es arrogant, Eugène Guindon. Tu n'as pas changé une miette ! Je te déteste ! Une serveuse a le droit de gagner sa vie sans se faire tripoter le derrière par les clients. Tu resterais surpris, comment les clients sont à leur place ! Je ne travaille pas dans un bordel, quand même ! Aussitôt que le monde prononce le mot « serveuse », ils pensent tout de suite que ce sont des femmes à la jambe alerte et qu'après le *shift*, elles s'envoient en l'air avec les clients ! T'es juste un ignorant, Eugène Guindon ! Je me demande pourquoi je suis venue vous voir. J'aurais dû rester à Saint-Pie, le monde est plus accueillant et sait vivre, saint citron !

— Béatrice ! intervient sa mère, décontenancée. Pourquoi appeler ton père « Eugène » ? C'est nouveau ?

— M'man... est-ce que tu penses qu'il m'a déjà aimée, toi ? s'enquiert Béatrice, les yeux mauvais. Il a toujours été un étranger pour moi. Je ne vois pas pourquoi je l'appellerais « papa ». Ce mot est sorti de mon vocabulaire il y a belle lurette.

— Voyons, Béatrice ! Sois polie, ma fille, c'est ton père...

— C'est ça... tu ne peux même pas m'affirmer qu'il m'a déjà aimée... « Eugène » vénérait bien plus Violette, hein, p'pa ?

Eugène lève un regard interrogateur vers sa fille.

— Tu parles à travers ton chapeau, ma fille. Vous étiez différentes, c'est tout... Tu sais ben que je t'aime, aussi.

— J'aime mieux ne pas m'étendre sur ce sujet..., rétorque Béatrice, qui à l'instant risquait d'exploser. Je vais défaire ma valise dans la chambre qui était censée être la mienne quand vous avez déménagé ici. Je peux, m'man ?

— Oui ma fille. Je vais juste voir si tout est en ordre.

Vu son incapacité à rester plus longtemps assise à la table face à son père, Béatrice talonne sa mère. Elle a une folle envie de se jeter sur lui pour lui griffer le visage.

Elle est triste de découvrir la chambre remplie de photographies de sa sœur Violette, excepté une seule petite photo d'elle, qui trône sur une table de nuit, près d'un gros cendrier vert en verre soufflé.

Rien n'a fleuri dans le cœur de sa mère : Violette demeure la starlette et Béatrice, le souffre-douleur supplice de la famille. « Pauvre maman... votre fille Violette vous a bien manipulée avec sa petite face angélique ! Si vous saviez tout ce que je sais, je ne suis pas certaine que vous la vénéreriez autant ! Bah ! Même si je vous conte tout ce que votre chouchou a bien pu faire tout au long de sa courte vie, vous seriez quand même en adoration devant elle. »

— Oh ! Excuse-moi, Béatrice... C'est ton père qui a placé ces photos quand nous avons déménagé. Il en a oublié quelques-unes. Je suis certaine que c'est parce qu'il n'a pas trouvé la boîte à chaussures où je les avais rangées avant de déménager.

— C'est correct, m'man... Je ne vous en veux pas, la rassure Béatrice en déposant sa valise sur le lit décoré d'une courtepointe fleurie de rose et de vert.

— Sans le savoir, hier, j'ai fait ton dessert préféré. Tu veux deviner, Béatrice ?

— M'man... les carrés aux dattes étaient le dessert préféré de Violette aussi. Je ne suis pas si niaiseuse... Quand vous les faisiez, c'était surtout pour lui faire plaisir à elle et non à moi. C'était pareil pour les hot chicken... Vous demandiez toujours à Violette : « Veux-tu manger un *hot chicken*, Violette ? » J'étais quoi, moi ? Un coton ? C'est aussi mon mets préféré et je devais attendre que Violette ait le goût d'en manger pour en avoir, sinon j'aurais séché sur place, comme d'habitude.

— Ne dis pas cela, ma fille. Tu es aussi intelligente que ta sœur l'était et tu mérites aussi toute mon attention. Tu es seulement différente. Je vous aimais toutes les deux...

— Ouin, c'est ça... mais moi je ne m'envoyais pas en l'air avec...

— Ne sois pas méchante envers ta jumelle. Elle est morte. Est-ce que tu voudrais la laisser reposer en paix, s'il te plaît ?

— OK ! Mais c'était quand même une traînée. Mise à part la fois où…

— … que ?

— Oublie ça… on ne sortira pas les vieilles affaires.

— D'accord, c'est une bonne décision de ta part, ma fille. Que désires-tu manger pour souper ? Je n'ai pas fait l'épicerie, mais je peux te faire une omelette avec une salade.

— C'est correct… De toute façon, je n'ai pas très faim. Je vais me coucher tôt, je suis fatiguée.

— Je vais faire le marché demain. Tu vas m'accompagner, Béatrice ?

— Non. Tu n'auras pas besoin de demander à madame Aubert de venir tenir compagnie à p'pa… Il sera déçu, mais il aura bien une autre occasion de se faire « garder ».

— Tu connais madame Aubert ?

— Oui. Quand je suis arrivée, elle m'a fait signe d'entrer pour attendre votre retour, parce que j'étais en train de virer en statue de glace. Elle m'a dit que vous étiez partis à l'hôpital et elle m'a offert un café.

— Oh ! Quelle gentille femme ! Elle est dépareillée. Elle est toujours là pour rendre service.

— J'ai vu ça. Elle m'a aussi dit qu'elle s'occupe du père quand tu sors.

— Tu comprends bien ! Sinon, je serais confinée dans ma maison à longueur de journée ! Ton père a besoin de surveillance. Il n'en fait qu'à sa tête. Il essaie de se lever de son fauteuil roulant quand je suis absente… Il est déjà tombé, tu sais. Je l'ai déjà retrouvé par terre en rentrant. Alors, si tu l'as déjà rencontrée, je pourrais l'inviter à souper demain soir. Elle est bien gentille.

— C'est une idée.

***

Le lendemain, Marie-Blanche quitte la maison à 13 heures pour se rendre à l'épicerie et à la pharmacie, sous le regard satisfait de sa fille.

La maison est bien silencieuse. À l'extérieur, un soleil paresseux jette ses timides rayons sur les fenêtres givrées et les quelques oiseaux de passage font une halte sur les toitures glacées afin de profiter de la douce chaleur des cheminées.

Après avoir récuré la vaisselle du dîner, Béatrice se retourne vers son père qui bourre sa pipe devant l'âtre du foyer. Lorsqu'elle se dirige vers sa chambre, il l'interpelle :

— Tu peux t'assire dans la cuisine, je te mangerai pas, Béatrice. Je suis pas un ogre, tu sais ben !

— Si je m'assois, tu vas regretter de m'y avoir invitée, menace sa fille, la rage dans le cœur.

— Pourquoi ? As-tu de quoi à me dire, coudon ? Vide ton sac… après, tu vas filer mieux.

— OK ! Tu l'auras voulu ! crie Béatrice en s'assoyant sur le bout d'une chaise pour s'allumer une cigarette.

Sans crier gare, elle se lance, furieuse :

— Je te vomis, Eugène Guindon ! Tu m'écœures, m'entends-tu, le père ?

— Quoi ?

— T'es juste un sale hypocrite ! s'emporte sa fille en se levant, sans entendre le bruit de sa chaise qui vient de tomber à la renverse.

— Hey là ! Qu'est-ce que t'as sur le cœur, ma fille ? s'énerve le père de famille en se versant une rasade de gin dans un verre à eau.

— Ça fait combien de verres que tu ingurgites depuis que tu es debout, toi ? Je veux dire : depuis que t'es sorti de ton lit puis que m'man a encore forcé pour lever ta grande carcasse afin que tu puisses regagné ton fauteuil roulant.

— Insignifiante ! Ça se peux-tu se moquer de son père qui est déjà à terre moralement ! Pis, c'est pas de tes affaires que je prenne un verre ou que j'en prenne trois, bâtard ! Je suis dans ma maison pis j'ai pas à demander la permission à personne pour prendre une simple rasade de gin. Ça fait du bien à mon mal de dos. Je te verrais ben, emprisonnée dans ce fauteuil-là, toé ! Tu verrais peut-être que c'est pas si confortable que ça être pogné là-dedans à longueur de journée.

— Bon ! Est-ce que tu veux que je braille un peu pour toi, p'pa ? Continue donc à boire… un ivrogne de plus, un homme de moins !

— Si t'as pas d'autres choses à me dire de plus intelligent, vas-y dans ta chambre, sacrament !

— Est-ce que cela t'a fait mal quand tu as appris que Violette a tué son bébé, en 1941 ?

— Tu sais ben que oui ! Je suis pas si sans-cœur que tu le penses, crisse ! Pourquoi me poser cette question, niaiseuse ? Elle avait commis un sacrilège avec Vanier !

Mais son enfant, c'est pas lui qui avait demandé à venir au monde, hein ! Asteure qu'elle est morte et enterrée, c'est pas toi qui vas nous donner des petits-enfants à 43 ans, han ? Sais-tu que la lignée des Guindon est finie à tout jamais par ta faute parce que tu t'es jamais mariée après la mort de ta sœur ?

— Bien oui, bien oui… Je te pose la question différemment, si tu veux.

— Quoi ? Aboutis, sacrament ! s'impatiente son père en se vidant un autre verre.

— OK ! Est-ce que cela t'a peiné quand Violette a tué TON bébé ?

— Hein ? Es-tu folle toé ? Ben calvaire ! Tu m'accuses d'avoir fait un p'tit à ma fille ? Ma propre fille ? J'en reviens pas !

— Exactement ! Maudit cochon ! Tu mériterais d'être pendu par les deux gosses !

— Béatrice ! Où as-tu pris ça ? Sais-tu que ce que tu viens de prononcer, c'est une accusation grave ? T'accuses ton propre père d'avoir fait un bébé à ta jumelle ? Es-tu tombé sur la tête, toé ?

— Arrête de mentir ! Tu as mis Violette en famille sur le bord du ruisseau quand tu l'emmenais pêcher du poisson ! Écœurant ! Que va faire m'man quand elle sera mise au courant, tu penses ?

— Tu bavasseras pas ça à ta mère ? Veux-tu l'achever ? Tu sais ben qu'a va mourir d'une crise de cœur, toé !

— Pourquoi je me gênerais ? Elle va peut-être arrêter de te couvrir, de te défendre de ta mauvaise humeur à cause de ta condition lamentable, celle d'être un fardeau parce que tu es confiné dans un fauteuil roulant.

— Qui t'as dit ça, toé ? crie Eugène, l'écume à la bouche.

— Ç'a pas d'importance. Je ne te le dirai jamais. Comment as-tu pu faire ça à Violette ? Violette avait la jambe alerte oui, mais tu n'étais pas obligé d'en rajouter, gros vachard !

Eugène fulmine. D'un effort surhumain, il se lève de son fauteuil roulant pour se diriger vers sa fille les mains levées dans le but de la frapper, mais le coup fend l'air et il se retrouve étendu de tout son long sur le plancher en arrêt respiratoire.

— C'est ça, reste là jusqu'à temps que la mère revienne. Je vais lui dire que je ne t'ai pas entendu tomber, que j'étais dans ma chambre. Tu mériterais juste ça de crever, maudit pervers !

Eugène tend une main frémissante vers sa fille en signe de secours, mais elle regagne sa chambre d'un pas décidé. « J'espère que tu brûleras en enfer, maudit vicieux ! » lui souhaite sa fille, sans se retourner.

***

Lorsque Marie-Blanche rentre les bras chargés de sacs d'épicerie et qu'elle aperçoit le fauteuil roulant de son mari inoccupé près de la table de cuisine, elle s'écrie, décontenancée :

— Béatrice ! Où est ton père ? Que s'est-il passé, pour l'amour du ciel ?

— Il est à l'hôpital...

— Comment ça, à l'hôpital ? Depuis quand ?

— Il a voulu se lever de sa chaise. Il est tombé.

— Voyons ! Le docteur lui a dit qu'il est trop tôt pour essayer de marcher sans l'aide d'une infirmière !

— Bien il l'a fait quand même... quand je l'ai vu couché par terre en sortant de ma chambre, j'ai appelé l'ambulance. Je n'ai pas pu le soulever, il est trop lourd, je me serais donné un tour de reins.

— Appelle-moi un taxi... Pourquoi n'as-tu pas embarqué dans l'ambulance avec lui au lieu de rester à la maison ? lui demande sa mère avec impatience, tandis qu'elle revêt son manteau et son chapeau près de la porte d'entrée.

— Parce que je savais que tu le rejoindrais en revenant de l'épicerie. Je retourne à Saint-Pie en fin d'après-midi... Tu vas passer tes journées à l'hôpital et moi je n'aurai plus rien à faire ici.

— Voyons ! Viens avec moi ! Tu n'es pas pour partir comme une voleuse en sachant que ton père est alité à l'hôpital !

— J'aime mieux partir. C'est Violette que p'pa aimait, m'man. Crois-moi, il n'a vraiment pas besoin de me voir près de lui. Et je ne me sentirais pas à l'aise.

— C'est comme tu veux... Je t'écrirai pour te donner des nouvelles. Mais sache que je n'approuve pas ta décision de te sauver comme ça de ton pauvre père.

Eugène Guindon mourut dans la matinée du lendemain, sous le regard éprouvé de sa femme Marie-Blanche.

***

Saint-Célestin, 15 janvier 1970
Ma chère Béatrice,

Lorsque tu recevras cette lettre, ton père reposera dans le charnier du cimetière Saint-Célestin. Il nous a quittés le lendemain de ton départ. Si avant de partir tu m'avais donné au moins un numéro de téléphone, j'aurais pu avertir un voisin pour qu'il puisse t'annoncer cette mauvaise nouvelle. Tu aurais pu aussi revenir pour les funérailles. Il faut croire que c'est le bon Dieu qui l'a voulu ainsi.
J'espère que tu n'attendras pas un autre trois ans pour venir me voir, ma fille. Je suis seule, maintenant, et crois-moi que je vais trouver les journées longues à tourner en rond.
Béatrice, ton père avait un tempérament colérique, mais jamais il ne vous aurait fait de mal à toi et ta jumelle. Il me l'a dit avant de partir qu'il vous aimait. Je n'ignore pas ce que tu penses de lui, mais au moins, fais un effort et récite une petite prière pour lui pour que son âme repose en paix au Paradis. C'était un bon travaillant et nous n'avons jamais manqué de rien moi, toi et ta sœur.

Ta mère, Marie-Blanche

« Bien oui ! J'espère qu'après avoir pourri dans sa tombe, son âme brûlera éternellement en enfer. Et aussi, que Lucifer ne le ménagera pas. Il mérite pire que ce qu'il a infligé à Violette. »

Saint-Pie, 22 janvier 1970
Maman,

J'ai reçu ta lettre concernant le décès de « Eugène ». Si tu ne veux pas demeurer toute seule à Saint-Célestin, je t'invite à venir vivre avec moi à Saint-Pie. Pour ce que tu me demandes : c'est-à-dire de prier pour p'pa, bien tu as usé l'encre de ton stylo pour rien. Je suis désolée, mais c'est comme ça. Je ne réciterai, même pas un, « Je vous salue Marie ». Ce serait pour moi, d'user vainement ma salive.

Béatrice

Saint-Célestin, 2 février 1970
Bonjour ma fille,

J'ai bien reçu ton invitation et je t'en remercie du fond du cœur. Je sais que tu es une bonne fille et que tu désires prendre soin de moi pour ne pas que je m'ennuie toute seule dans la maison. Mais je ne connais pas Saint-Pie et, à mon âge, il est un peu tard pour m'initier à une nouvelle vie dans une ville inconnue. Je crois que je serais perdue. Ne t'inquiète pas pour moi. J'ai une gentille samaritaine que je vois presque tous les jours. Tu te souviens de madame Aubert, ma voisine d'en face ? Depuis que ton père est parti, nous nous rencontrons régulièrement et sommes devenues de très bonnes amies. Nous allons même dîner au restaurant tous les dimanches après la messe de 10 heures. Le soir, j'écoute la télé chez elle et, le lendemain, c'est ici à la maison que nous

jouons aux cartes. Bientôt, j'achèterai un téléviseur pour pouvoir l'inviter. Aussi, avec l'argent que ton père m'a laissé, je vais faire installer un cabinet de toilette dans la maison. Ce sera terminé pour moi de me rendre dans les toilettes sèches. Ton père était assez à l'aise côté monétaire. Je ne comprends pas pourquoi il n'avait toujours pas construit cette salle de bain. On vivait comme au temps primitif, seigneur !
Bientôt, je prendrai l'autobus pour te visiter. J'attends que les grands froids soient passés et, au printemps, si tu veux, je serai chez toi pour passer quelques jours en ta compagnie. Est-ce que cela te dérangerait si madame Aubert était du voyage ? Elle aimerait te revoir pour te connaître plus.
Alors, je te laisse, je vais au bingo de la salle paroissiale dans 20 minutes.

Ta mère Marie-Blanche

***

Mars a englouti l'hiver pour étaler ses rayons les plus chauds sur les terres et les ruisseaux.

En rentrant de son travail au restaurant Riendeau, Béatrice entreprend de balayer sa galerie et briser la glace ramollie du trottoir bétonné avant de se préparer un léger repas. Elle lève les yeux vers la voiture qui vient de s'immobiliser dans l'entrée de son voisin.

— Bonjour madame ! Est-ce que c'est ici la maison de monsieur Côté ?

— Oui, c'est là…, confirme Béatrice, perplexe, sans se départir de son balai enneigé.

Au même moment, sans avoir pris le temps d'endosser son manteau, Pierre apparaît sur son balcon, sourire aux lèvres.

— Bonjour Jasmine ! Vous avez fait bonne route ? s'informe Pierre, sans daigner jeter un regard vers sa voisine.

— Excellente, Pierre ! Mais je peux vous dire que vous demeurez très loin ! Ouf… Quel trajet ! répond Jasmine en ouvrant le coffre arrière de sa voiture pour prendre une petite valise cartonnée.

— Attendez ! Je vais vous aider… Oh ! Bonjour Béatrice !

— Salut, lui répond cette dernière en franchissant le seuil de sa demeure.

— Excusez-moi, je ne vous avais pas vue. Heu… attendez, je vous présente Jasmine… C'est une amie qui demeure à Amos. Jasmine, Béatrice Guindon…

— Ah bon ! Enchantée, mademoiselle, la salue Béatrice sans empressement, qui tenait la poignée de la porte d'entrée de sa maison.

— Bonjour Béatrice ! Je suis heureuse de vous rencontrer. Pierre m'a déjà parlé de vous.

— Ah ouin ! En passant, mademoiselle Jasmine, mon nom c'est « mademoiselle Guindon », et non Béatrice.

Pierre reprend immédiatement la parole :

— Attendez Jasmine, je vous aide…

— Merci, c'est gentil, Pierre. Est-ce que vous êtes allé à l'épicerie chercher la commande que je vous ai donnée quand je vous ai appelé hier ?

— Bien oui ! J'avais tout noté sur le petit calepin placé juste à côté de mon téléphone.

— Vous avez le téléphone ? demande Béatrice, surprise.

— Oui, mademoiselle Guindon. Cela fait déjà une semaine. Monsieur et madame Roy sont bien gentils, mais j'étais mal à l'aise de les déranger continuellement pour appeler mes enfants. Au fait... Jasmine est la mère de Léonie, la femme de Paul.

— Ah bon ! « Et il l'appelle par son petit nom, en plus ! Je vois qu'il a allumé son fanal ailleurs, comme on dit ! » pense Béatrice en rentrant elle, chagrinée.

***

Jasmine est en visite chez Pierre pour trois jours. Dès la deuxième journée, Pierre se sent coincé. Déjà la jolie femme a changé les meubles de place et a commencé à faire sa lessive, ses repas et le barda de tous les jours.

— Regardez, Jasmine... Vous n'êtes pas obligée de nettoyer mon linge sale. Vous êtes mon invitée. Je suis mal à l'aise de vous voir...

— ... laver vos caleçons ?

— Jasmine ! Vous me gênez, sans bon sens !

— Écoutez, Pierre... commencer votre lessive tout de suite ou bien dans quelques mois, quelle est la différence ?

— Que voulez-vous insinuer en disant « dans quelques mois » ?

— Bien... si vous m'avez demandé de venir passer trois jours dans votre maison, c'est que vous désirez dans les prochaines semaines que je m'installe pour de bon avec vous, non ? J'avais deviné, vous savez !

— Pardon ?

— Oui, je le veux, Pierre ! s'exclame la femme sensuelle en se collant à lui.

— Qu'est-ce que vous voulez, Jasmine ?

— Oui, je veux vous épouser.

— Quoi ? Jamais que je ne vous ai demandé en mariage ! répond Pierre abasourdi, en se dégageant.

— Mais vous alliez le faire, pas vrai ? Ce soir, ou peut-être demain devant un petit repas bien arrosé ?

— Jamais de la vie ! Je n'ai jamais eu l'intention de vous courtiser, vous êtes pour moi une amie, la mère de ma bru.

— Quoi ? Alors, pourquoi m'avoir invitée chez vous ?

— Je ne vous ai jamais invité dans ma maison ! C'est vous-même qui avez décidé de venir à Saint-Pie. Je n'ai même pas eu le temps de répondre quand vous m'avez annoncé que vous feriez le voyage !

— Je n'en reviens pas ! Moi qui croyais...

— Vous n'avez pas de mémoire, Jasmine ?

— Je croyais que vous m'aimiez, que vous étiez attiré par moi...

— Aimer est un grand mot, Jasmine. Je vous aime bien oui, mais de là à penser me marier à vous...

— Vous ne m'aimez plus ?

— Je n'ai jamais éprouvé de l'amour pour vous, voyons ! Vous êtes la mère de la femme de mon fils Paul...

— Qu'est-ce que ma fille vient faire dans notre histoire ?

— Oubliez ça… Il y a eu un malentendu entre nous, je crois.

— Tout un malentendu, oui ! Je fais sept heures de voiture, pour apprendre que vous ne m'aimez pas et que je suis pour vous qu'une simple connaissance ?

— Bien non, je ne vous aime pas d'amour, Jasmine. Je croyais que vous saviez que votre séjour à Saint-Pie n'était qu'une simple visite d'amitié.

— Très bien Pierre ! tempête Jasmine en faisant volte-face, pour se diriger vers la chambre d'invité.

— Qu'est-ce que vous faites, Jasmine ?

— Ma valise ! Je n'ai plus rien à faire dans votre maison.

— Vous deviez partir seulement demain ?

— Vous avez raison, mais je devance mon départ. Moi, je suis tombée amoureuse de vous et je croyais que c'était réciproque.

— Vous m'en voyez navré, Jasmine…

— J'espère que vous êtes navré ! Tout ce chemin pour vous retrouver…

— Vous êtes fâchée ? demande Pierre en s'avançant vers elle, pour la rejoindre dans le petit couloir menant sur le seuil de la porte d'entrée du salon.

— Non ! Oui ! Je ne sais plus ! Nous en reparlerons un de ces jours, si vous revenez à Amos pour visiter votre fils.

L'Abitibienne quitte la maison de la rue Notre-Dame sans remercier son hôte.

Chapitre 18

Propriété à vendre

Mai

Tous les scénarios que Béatrice a imaginés pour elle et Pierre se sont volatilisés dans l'infini. Depuis qu'elle a croisé Jasmine, l'amie de Pierre, elle se demande quelle est la raison qui la motive à demeurer à Saint-Pie. Elle a remis sa démission à la cantine Riendeau et planté un écriteau devant sa maison.

Mais qui peut être intéressé d'acquérir une telle maison défraîchie par les années ? Un coup de cœur probablement… Ou, peut-être bien, une personne désirant la démolir pour s'ériger un nouveau domicile ou implanter un nouveau commerce ?

Dès l'automne, elle déménagera à Saint-Célestin pour tenir compagnie à sa vieille mère. Marie-Blanche lui a écrit en avril dernier pour lui annoncer que son amie, madame Aubert retournait vivre dans sa ville natale, Kamouraska, et donc qu'elle s'ennuierait toute seule. Béatrice a réitéré son invitation à s'installer chez elle dans la maison de sa défunte sœur Olivette, mais elle a décliné son offre pour la seconde fois.

La température est inimaginable pour un début du mois de *Marie*. Le ciel est d'un bleu pur et la petite brise réchauffe le cœur des villageois frileux. Béatrice a marché pour se retrouver installée sur l'herbe tendre face à la rivière Noire. C'est alors que les larmes se mirent à rouler sur ses joues pour s'étaler sur ses lèvres tremblantes. En se positionnant à plat ventre, elle fixe un vieux chalet au toit rouge.

La brise légèrement parfumée d'un arôme boisé lui taquine les narines. Dans le ciel dépourvu de nuages, un avion traînant un long filet blanc se dirige encore plus haut et disparaît dans l'infini.

« Qu'est-ce que je vais faire de mes journées à Saint-Célestin, quand je vais déménager ? Josette n'aura pas de temps à me consacrer comme avant, elle en a plein les bras avec sa marmaille. Il va falloir que je me trouve une *job*. Enfermée avec ma mère toute la journée, je vais devenir folle, saint citron ! J'aimais Saint-Pie ! » se dit la pauvre femme, en se levant pour rentrer chez elle, en pleurs.

Sur le chemin du retour, elle fait une halte à l'église Saint-Pie, histoire de passer le temps. Dans l'imposante abbaye, le chœur baigne sous un voile d'encens. Béatrice s'installe dans le premier banc face au maître-autel d'où, à chaque extrémité, deux longs cierges émettent une flamme réconfortante.

« Cher Dieu… pardonnez mon absence de foi pour votre Église. Vous souvenez-vous quand j'étais petite et que je restais à Saint-Célestin ? À l'âge de six ans, quand j'allais à la basse messe avec mes parents et ma sœur, je vous avais demandé de dire à mon père de ne pas donner toute son attention à ma jumelle ? Vous ne m'avez pas écoutée... il n'est jamais resté rien pour moi à part des miettes... Je veux dire que s'il donnait cinq lunes de miel à Violette, moi, j'en avais juste deux. Ça fait mal, ça, pour une petite fille qui ne demandait qu'un peu d'attention. Ma mère a montré à ma sœur à broder, coudre et tricoter. Moi, j'ai appris à nettoyer l'étable, nourrir les animaux et planter des clous. Pourquoi vous ne m'avez pas écoutée quand je vous ai demandé de lui dire que j'aurais aimé tenir une aiguille et du fil à broder, au lieu de manier le pis d'une vache ? C'est pour cette raison que j'ai cessé de croire en vous... Vous aussi, vous aimiez Violette plus que moi, han ? Vous auriez pu aussi demander à mes vieux de me laisser étudier à l'école du rang. Aujourd'hui, je serais plus instruite. J'aurais même pu faire une maîtresse d'école ! Je sais lire et écrire, oui, mais j'aurais aimé avoir plus de connaissances en arithmétique, en géographie, en français et en anglais.

En 1966, quand j'ai déménagé ici à Saint-Pie, je me suis dit : peut-être qu'il va m'accorder des faveurs, mais non ! Vous avez fait en sorte que Pierre me regarde dans les yeux pour que je tombe amoureuse de lui, ce à quoi je ne m'attendais pas du tout. Je n'ai pu faire autrement que d'arrêter de me faire passer pour ma jumelle et tout lui avouer. J'ai tout perdu ! Sa confiance, son amour et surtout, le sentiment de

me sentir enfin femme… Je n'ai pas la féminité que Violette avait, mais je sais que je peux être une belle femme, moi aussi. Pierre me l'a dit que j'étais jolie. Je l'ai cru, et regardez où j'en suis maintenant.
Là, je vais vous prier à nouveau. Juste aujourd'hui ! Après, je verrai, si vous m'avez écoutée et je pourrai vous remercier de vos bonnes grâces. J'ai une demande à vous faire… Faites que je vende ma maison au plus vite. Je n'en peux plus de rester à côté de cet homme, je l'aime trop ! J'ai honte quand je le croise sur la rue ou dans l'église le dimanche matin. Vous devez l'avoir remarqué vous aussi que je suis triste, sans bon sens ? Vous vivez ici, saint citron ! »

***

Juin

Béatrice est désespérée. Une seule personne s'est présentée chez elle pour visiter sa maison sur la rue Notre-Dame. L'individu lui avait offert une somme déraisonnable et elle en a été insultée. « Êtes-vous fou, vous-là ? À ce prix-là, je serais bien mieux de vous la donner, saint citron ! Non ! Je refuse votre offre ridicule… Je suis capable d'attendre le prix que je veux, monsieur Dubreuil. Je n'ai peut-être pas l'air d'une femme instruite, mais je sais compter… Le prix que vous m'offrez pour ma maison, même si c'est une vieille maison, c'est le montant que ça coûte pour bâtir une niche à chien. Vous repasserez quand vous aurez mieux à m'offrir… Ç'a tu du bon sens, rire du monde de même ! »

***

Une canicule persiste depuis six jours et le ciel ne montre aucune envie de se départir de son teint azuré, qui, en passant, est extrêmement magnifique.

Béatrice vient tout juste de s'installer sur son divan avec un bol de salade de thon accompagné d'un jus de tomate et des biscottes quand elle entend frapper à la porte.

— Pierre ! s'exclame-t-elle, vêtue d'une jolie robe de cotonnade rose parsemée de petites fleurs blanches.

— Bonjour, Béatrice…, la salue son voisin, sans sourire. Je m'excuse de vous déranger… je vois que vous étiez en train de souper. Je vais repasser plus tard, si vous voulez bien…

— Qu'est-ce qu'il y a ? Il est arrivé malheur à un de vos enfants ? s'inquiète Béatrice, en lui faisant signe d'avancer vers le salon. Venez vous asseoir, mon repas peut attendre.

— Non, mes enfants vont très bien, Béatrice, la rassure Pierre, en s'installant sur le divan.

— …

— J'ai une question à vous poser et je vous demande d'être franche avec moi.

— Oui ? Posez votre question et je vous promets d'y répondre avec sincérité.

— Pourquoi avoir mis votre maison à vendre ? demande-t-il nerveusement en se relevant. Vous n'étiez pas censée faire des rénovations ?

— Je ne ferai pas ces rénovations, Pierre… Mon père est mort. Je veux aller rester avec ma mère à

Saint-Célestin. Elle se sent bien seule, la pauvre. De plus, il n'y a plus rien qui m'attache ici.

— J'ignorais que votre père était décédé. Mes sympathies.

— Merci, mais son départ ne m'a pas affectée du tout. Je suis plus soulagée qu'autre chose.

— Ah ! Bon, maintenant, je désire tout savoir...

— ... savoir quoi ?

— Pourquoi ? Pourquoi avoir joué avec moi comme ça ?

— Je vous l'ai expliqué ! s'impatiente Béatrice en se levant à son tour.

— Je sais, mais je veux comprendre, Béatrice. Je suis complètement déboussolé. J'ai tellement de questions pour vous ! Si je n'obtiens pas toute la vérité, je ne m'en sortirai jamais.

— Cela vous donnerait quoi si je vous racontais toute ma vie au complet ? Vous trouveriez mon histoire inintéressante.

— Au moins, j'aurai eu les clarifications qui me tiraillent depuis des mois... Après, je vous laisse tranquille... Vous ferez bien ce que vous désirez de votre vie et moi de la mienne.

— Vous voulez parler de votre amoureuse de l'Abitibi, en disant « votre vie » ?

— Jasmine ? Cette femme n'a jamais été mon amoureuse, Béatrice. Elle l'aurait bien souhaité, mais moi je n'ai aucune attirance pour elle. C'est une femme envahissante et je n'ai aucunement besoin d'elle dans ma vie.

— Ah bon !

Béatrice lui raconte son enfance, son adolescence, ses 20 ans, ses 30 ans… L'avortement de sa sœur Violette, son décès. Ainsi que la journée où elle s'était rendue chez ses parents pour dévoiler à son père qu'elle était au courant qu'il était le géniteur du bébé de sa sœur. Elle lui lit même quelques lignes du journal intime de sa jumelle.

— Elle ne l'a pas eue facile votre sœur, en effet. Mais pourquoi avoir porté ses vêtements, son parfum et ses souliers à talons hauts ?

— Cela, j'ai essayé de vous l'expliquer, Pierre, vous n'avez rien voulu entendre… Je jouais un jeu. J'étais curieuse de savoir comment se passeraient mes journées en prenant l'identité de ma sœur. Quand je suis tombée amoureuse de vous, je vous ai dit la vérité. Je ne pouvais plus continuer à vous le cacher. J'étais trop malheureuse de vous avoir menti.

— Oui, vous me l'avez avoué après que nous ayons fait l'amour… Regardez, on reprend du début, OK ?

— Que voulez-vous dire ? Est-ce que vous désirez un café ?

— Est-ce que vous avez une bière ?

— J'ai de la O'keefe.

—D'accord, c'est parfait.

Béatrice réintègre le salon avec deux verres de bière et s'assoit au côté de son visiteur.

— Merci pour la bière. Où aviez-vous pris toutes ces robes et ces talons hauts que vous portiez ? Je veux dire que Violette portait ?

— Tous les vêtements de ma sœur, bijoux, souliers et parfums étaient dans le grand coffre brun que j'ai rapporté de Saint-Célestin quand je suis déménagée ici à Saint-Pie. Nous avions la même taille à l'époque et aujourd'hui rien n'a changé pour moi, j'ai toujours le même gabarit qu'à 15 ans.

— Je vois... Vous pensez les remettre à nouveau, les vêtements et les bijoux de votre sœur Violette ?

— Non, voyons ! J'ai tout donné aux pauvres, ils en ont plus besoin que moi. Il ne reste plus rien dans le coffre. C'est quand j'ai fait les sacs que j'ai déniché le journal de Violette dans le fond. Quand la maison sera vendue, le coffre restera dans la chambre, si le nouveau propriétaire désire le garder, c'est bien sûr.

— Et vous avez été bouleversée en le parcourant ce journal ?

— Oui..., affirme Béatrice, prise d'un léger trémolo dans la gorge.

— Vous devez avoir trouvé ardu d'imiter le langage de votre sœur Violette quand nous nous rencontrions après la messe du dimanche ?

— Oui, c'est vrai. Mais je m'étais aperçue qu'en parlant plus lentement, le timbre de ma voix ressemblait plus à celui de ma jumelle. Avez-vous d'autres questions, Pierre ?

— Oh oui ! Vous deviez avoir trouvé dur de refuser les cigarettes que j'offrais à Violette qui disait ne pas fumer ?

— Oui...

— Nous étions des heures à jaser au restaurant et je fumais comme une cheminée devant vous !

— C'est certain que lorsque j'arrivais à la maison, j'avais hâte de m'en allumer une. En rentrant, j'en fumais trois en ligne.

— Une dernière question avant que je vous laisse, Béatrice ?

— Oui ?

— La lettre de Violette, reçue de Saint-Célestin, en janvier ?

— ...

— Béatrice ! Comment avez-vous fait pour que Violette m'écrive après qu'elle soit partie passer les fêtes chez vos parents en Mauricie ? Souffrance que ce n'est pas facile ! s'exclame Pierre en se levant pour aller déposer son verre sur le comptoir de la cuisine.

— La lettre rose que je vous ai envoyée a été postée dans une grande enveloppe brune à Josette Gosselin à Saint-Célestin. Je lui ai demandé de maller la petite enveloppe au bureau de poste de Saint-Célestin pour que vous la receviez dans la première semaine de janvier.

— Dites-moi que je rêve, Béatrice ! Vous étiez vraiment accrochée à ce personnage, maudit !

— Je vous dis la vérité. Vous voulez tout savoir, non ?

— Oui..., excusez-moi.

— Si j'ai fait partir Violette à Saint-Célestin, c'est que j'en avais assez. Je ne désirais plus être comme elle. En plus, j'étais tombée amoureuse de vous. J'avais peur que...

— ... que ?

— Que vous aimiez plus Violette que moi. Je sais que vous la trouviez attirante et bien féminine.

— Mais je n'ai jamais accepté les avances de Violette ! Heu... je veux dire vos avances ! Seigneur, que ce n'est pas facile !

— Je m'excuse, Pierre. Je regrette beaucoup le mal que je vous ai fait.

— Je vous remercie de votre franchise Béatrice, lui avoue Pierre avant de tourner les talons pour retourner chez lui sans vraiment en avoir envie.

— Bonsoir, Pierre, murmure doucement Béatrice.

« Voilà, c'est vraiment terminé. Adieu Pierre... Demain, je serai loin de Saint-Pie. Je vais appeler un agent d'immeubles pour qu'il s'occupe de vendre ma maison au plus vite. Je vais lui donner les clefs. À moi seule, je n'y arriverai pas. »

Alors qu'elle s'apprête à aller dormir pour ne plus penser à rien et faire le vide autour d'elle, Pierre entre sans s'annoncer.

— Oh ! Vous m'avez fait peur ! Que voulez-vous ?

— Je ne veux pas que vous déménagiez, Béatrice !

— Pardon ? lui demande la jeune femme, les yeux humides.

— Vous pouvez vendre votre maison si vous voulez, mais je ne veux pas que vous partiez à Saint-Célestin !

— Pierre ! La maison ne me coûte rien ! C'est en la vendant que je pourrai avoir un peu d'argent avant de me trouver un nouveau travail à Saint-Célestin !

— Êtes-vous sourde ? Je vous aime et JE NE VEUX PAS QUE VOUS DÉMÉNAGIEZ !

— Oh ! lâche Béatrice en larmes, en se collant contre lui.

— Vendez-la votre maison si vous le désirez vraiment, mais, venez vivre avec moi...

— Et ma mère ? Elle se fait une joie de m'avoir à ses côtés depuis que je lui ai annoncé que je retourne m'installer dans mon patelin !

— Si vous n'êtes pas en mesure de la convaincre de venir s'installer dans notre maison, moi je le ferai ! J'irai la voir en personne !

— Vous ne la connaissez même pas ! Vous ne l'avez jamais vue !

— Justement, il est temps pour elle de rencontrer son futur gendre.

Bonjour m'man,

J'ai à t'annoncer que je ne retournerai pas vivre avec toi à Saint-Célestin comme prévu. Je sais que tu dois être déçue en lisant ces lignes. Par contre, tu devrais te réjouir des quelques lignes qui suivent. Je vais me rendre au pied de l'église Saint-Pie en juillet prochain pour dire »Oui, je le veux » à Pierre Côté, mon voisin de la rue Notre-Dame. Je te préviens, tu es aussi bien de dire « Oui, je le veux » à Pierre lorsqu'il ira te chercher une semaine avant notre mariage. Entre-temps, mets ta maison à vendre. Si elle n'est pas vendue en juillet, téléphone à une agence immobilière. Qu'elle soit vendue ou pas à la fin de l'été, mon « mari » te déménagera ici à Saint-Pie.
J'ai hâte de te voir, m'man. J'aimerais… te connaître.

Béatrice x

P.-S. J'espère que tu n'as pas commencé à faire bâtir ta nouvelle salle de bain dans la maison. Bah ! De toute façon, si elle est déjà faite, ta maison sera bien plus facile à vendre.

Remerciements

Merci à toute l'équipe de chez Guy Saint-Jean Éditeur.
Un merci spécial à Sara Marcoux, éditrice, secteur littéraire chez Guy Saint-Jean Éditeur.
Un grand merci à la bibliothèque municipale de la ville de Saint-Pie, en particulier à madame Danielle Massé et madame Florianne Dupuis
Merci à mon conjoint Gérald, mon complice de tous les jours
Merci à mes enfants, Jessey et Mélissa Tousignant
Merci à mes petits-enfants, Sarah-Maude, Myalie et Benjamin
Merci à mes parents
Merci à mes sœurs, mes amies fidèles depuis toujours
Merci à vous tous chers lecteurs

www.lucyfrancedutremble.com

EXTRAIT DE

La veuve de Labelle

Chapitre 1

Rose-May

Village de Labelle, mai 1968

Enfin ! Une journée chaude et agréable, où l'astre de feu déployait ses doux rayons pour réchauffer le cœur des Labellois. Le temps était venu d'ensemencer les potagers, de sortir les meubles de jardin et de garnir les parterres de fleurs odorantes.

Il était à peine 10 heures et Rose-May avait déjà retiré sa veste de laine pour retourner la terre de son potager sis devant la vieille clôture de bois aux planches branlantes. Après avoir travaillé durant quelques heures, elle se retourna et fut satisfaite du résultat de son labeur. Tout devait être terminé aujourd'hui, car le lendemain, son amie Flora arriverait de bon matin pour la randonnée que les deux filles projetaient de faire au lac Labelle et elle était très fébrile de la retrouver.

La demeure de Rose-May avait été érigée en septembre 1905 sur la rue du Couvent, car, l'année précédente, une assemblée avait eu lieu entre le conseil scolaire et la communauté des Sœurs de Sainte-Croix pour l'aménagement de ladite rue en vue de l'édification du futur couvent, à proximité.

Coiffé de mansardes et lambrissé de briques, le bâtiment des Sœurs de Sainte-Croix comptait trois étages et un soubassement, où l'on enseignait aux élèves de la 1re à la 9e année.

La femme de 38 ans se souvenait bien de sa neuvième année, passée au couvent en 1946. Elle avait alors 15 ans. À l'époque, ses parents, ses sœurs et son frère demeuraient au village de La Conception.

Rose-May songeait avec nostalgie au couvent de sa jeunesse :

« C'était grand comme bâtiment ! On aurait dit que les plafonds rejoignaient le ciel ! À gauche de l'entrée, il y avait le bureau de la sœur supérieure et sur la droite, le parloir, une pièce froide qui me glaçait le sang. J'aimais bien me retrouver au réfectoire avec mes camarades de classe pour discuter de nos fins de semaine passées chez nos parents. Les soirs, on se réunissait au dortoir pour chuchoter durant des heures. Il était meublé de 50 lits blancs et tables de nuit. Un lundi matin, une nouvelle pensionnaire est arrivée et les sœurs l'ont installée dans un nouveau lit. Elle s'appelait Flora et on est devenues les meilleures amies du monde. Il y avait aussi une salle de musique, qui était rehaussée d'une minitribune, où étaient tenus des représentations de pièces de théâtre, des spectacles de chant ainsi que la journée de la remise des bulletins. Le départ pour les vacances estivales de cette année-là avait constitué mon moment préféré. La semaine précédente, les sœurs nous avaient demandé d'apporter des chaussons de laine. Le dernier jour d'école, on avait sorti les vieux bas de nos pères pour les enfiler par-dessus nos souliers et polir les parquets avec de la cire en pâte. Ça sentait le propre ! »

— Frimousse ! cria sa maîtresse en prenant la petite féline blanche pour la coller sur son cœur. Arrête de gratter la terre, je viens juste d'y semer des graines ! Allez, on va ranger les outils de jardinage sous la galerie, ma belle !

Malgré que Rose-May ait les mains souillées de terre et les cheveux attachés négligemment, elle était magnifique.

Sa beauté ne se révélait pas dans les vêtements qu'elle portait ni dans la façon dont elle coiffait ses longs cheveux noirs comme la nuit. C'était au fond de son regard aux iris d'un bleu profond qu'il fallait s'attarder, là où se trouvait le reflet de son âme. Elle était grande, élancée, son visage ovale était encadré de cils foncés rehaussés de sourcils obliques, et son nez droit et discret se jumelait bien à ses lèvres rosées.

À la suite du départ de son mari Victor, en 1949, elle avait simplement cheminé en exprimant sa gratitude à la Providence d'avoir placé sur sa route cet homme si doux qui l'avait aimée sans condition.

— Ah! Qu'il est joli, le mois de Marie! s'exclama Rose-May, en empoignant ses outils de jardinage pour les remiser sous l'espace fermé de la galerie peinte en gris.

Une tulipe avait éclos et les oiseaux gazouillaient leurs rituelles mélodies du printemps. Dans la cour arrière, aux abords du potager, lentement, le tremble s'habillait de vert tendre et l'astre lumineux réchauffait la terre en éveil.

∽

Le lendemain matin, alors que Rose-May déjeunait tranquillement avant de finaliser son départ pour le lac Labelle, son père était passé pour lui laisser des livres, des couvertures chaudes et de petits plats préparés, comme seule sa mère savait les cuisiner.

À 10 heures, la jeune femme attendait l'arrivée de son amie d'enfance pour remplir le coffre arrière de sa voiture et prendre la route pour s'installer à nouveau à son chalet à l'orée du lac, un site magnifique où il faisait bon se reposer et profiter de la quiétude durant la saison estivale.

Flora Frodet demeurait dans la municipalité de La Minerve, située à 12 milles de Labelle. Fille d'un père charbonnier travaillant aux fours de charbon de bois situés à proximité de la gare du chemin de fer de L'Annonciation, l'amie de Rose-May vivait toujours dans le célibat.

En août 1946, elle s'était retrouvée pensionnaire au couvent des Sœurs de Sainte-Croix, à Labelle. Sa mère Évangeline avait remis son âme au Seigneur en donnant naissance à sa petite sœur Yolande, ce poupon devenu un ange du paradis après avoir été victime de l'épidémie de poliomyélite, à laquelle des milliers d'enfants ne survécurent pas. Flora fut très éprouvée par le départ de ces deux êtres qu'elle affectionnait particulièrement. Elle aurait aimé bercer Yolande, la câliner et la protéger de tous les malheurs qu'elle aurait vécus dans sa vie de petite fille.

Il y a environ un an, son père lui avait raconté comment sa mère était sereine, juste avant de partir pour un meilleur monde, et cela sans trop souffrir.

— J'ai toujours eu peur de la mort, mais ta mère m'a appris comment on meurt, ma fille, avait glissé le père de Flora. Pis c'est pour ça que j'ai été capable d'y tenir la main jusqu'à ce qu'elle respire plus. Elle a toujours eu peur de mourir en couches, peur de se retrouver dans un « après » inconnu et très inquiète que ses proches disparus lui gardent pas une place au ciel. Avec un air calme pis sa tite voix douce, elle m'a dit avant que ta sœur se montre le bout du nez : « Parle-moi encore, mon mari... ta voix me fait du bien chaque fois que j'ai une douleur. Dis à ma belle Flora que je l'aime de tout mon cœur et que j'ai toujours été fière d'elle. Si je meurs, je veux pas que tu pleures à mes funérailles. On a eu une belle vie ensemble. S'il m'arrivait quelque chose, je veux que tu dises à Flora que je veillerai sur vous deux à chaque instant. »

Flora se présenta chez son amie, toute souriante.

— Bon matin, Rose-May !

— Enfin, te voilà ! J'avais tellement hâte que t'arrives !

Flora s'approcha pour déposer un baiser sur la joue de son amie et lui lança :

— T'as l'air inquiète, ma belle ! Je te sens impatiente...

— C'est pareil chaque printemps, Flo. J'ai si hâte de me retrouver au bord du lac ! Tu sais, j'ai pris une décision pendant que je rentrais les boîtes que papa m'a apportées tantôt.

— Sa voiture devait être bien remplie, à remarquer tout ce qu'il y a ici dedans ! constata Flora en désignant les boîtes éparpillées sur le plancher.

— En effet ! Il m'a fait bien rire, il pensait pas que j'avais autant de bagages en voyant ce fouillis. Cré papa, si je l'avais pas, je serais bien mal prise ! Il faudrait que je me décide à passer mon permis de conduire, un de ces jours. J'aurai pas toujours mes parents pour me venir en aide. Ils prennent de l'âge et malgré leur bonne santé générale, leurs corps vont plus aussi vite que lorsqu'ils avaient 30 ans.

— Ils sont si gentils ! Je suis jalouse de voir que quoi qu'il arrive, ils sont toujours là pour toi. Chanceuse, va ! C'est vrai que ce serait bien accommodant pour toi d'avoir ton permis. Tu pourrais t'acheter une belle petite voiture pour tes déplacements au lac et tes sorties de tous les jours, suggéra Flora, en acceptant la tasse de café que son amie venait de lui offrir.

— Oui, tu as raison, je vais y penser sérieusement.

Installée à la table de la cuisine, Flora croisa ses longues jambes hâlées jusqu'au bout des orteils.

— Tu imagines, lui dit la jeune institutrice, le mois de juin approche et je serai en vacances pour deux longs mois !

— Tes petits élèves vont quand même s'ennuyer de toi durant les vacances scolaires.

— Je suis pas inquiète, La Minerve est pas une grande ville et je les rencontrerai à l'occasion durant l'été. De quelle décision parlais-tu, tantôt, mon amie ?

— Je reviendrai pas sur la rue du Couvent les dimanches soir comme l'an passé. Je suis tellement bien, au chalet ! Ce site me comble de bonheur. Je désire en tirer profit au maximum et savourer chaque instant.

— Tu souhaites t'installer au chalet pour tout l'été ?

Flora se leva pour s'emparer du sucrier sur le comptoir.

— Qu'est-ce que tu fais ? T'as pas encore bu une gorgée de café ? À l'heure qu'il est, on devrait déjà avoir quitté la maison.

— Je mets du sucre dans mon café, pardi ! Tu me laisses me réveiller ? Le feu est pas pris, on a toute la journée devant nous ! Inquiète-toi pas, dans 10 minutes on sera parties, la rassura son amie en s'assoyant.

— OK. Dix minutes, pas plus ! la prévint Rose-May en souriant.

Rose-May portait un vieux jean délavé et ses cheveux noirs étaient noués en une haute queue de cheval. Au sortir du lit, à 6 heures, elle avait pris soin de se faire un léger maquillage et avait emballé ses cosmétiques dans une pochette à glissière décorée de petites fleurs vertes.

— Donc, tu veux passer presque cinq mois au lac, sans revenir à Labelle ?

— Non ! Je vais rentrer à la maison toutes les trois ou quatre semaines pour ma lessive, mon épicerie, l'entretien des plates-bandes, et pour tondre le gazon, qui en aura bien besoin. Pour le lait, le beurre et le pain, le dépanneur Terreault est bien accommodant.

— Tu te nourriras pas seulement avec des conserves et des pâtes, quand même ! Les viandes, les fruits, les légumes…

— Ma gentille copine m'apportera tout ça quand elle me rendra visite. Dis, tu viendras me porter des vivres pour pas que je crève de faim ? supplia Rose-May en éclatant de rire.

Puis, elle empoigna une boîte cartonnée remplie de casse-têtes et de livres, et la déposa près de la porte, où un soleil radieux perçait à travers le rideau blanc de la fenêtre.

— Ha ! Ha ! Tu sais bien que oui ! Oublie pas de rédiger une liste d'emplettes durant la semaine, je te rappelle que t'as pas le téléphone au chalet. Je pourrai pas deviner tes besoins de nourriture et je pourrais t'apporter des aliments que tu as déjà dans ton frigo.

— Tu es bonne pour moi, fit Rose-May en regardant son amie avec douceur. Allez, viens, le lac nous attend !

— Oui, on part! Mais je te trouve pas prudente de rester seule au chalet si longtemps. S'il t'arrivait un accident…

— Arrête de faire la mère poule, Flora!

— D'accord, je me tais. Mais quand même, pas de téléphone, pas d'électricité…

— C'est pas nécessaire de te tourmenter! J'adore l'éclairage tamisé de la lampe à huile et mon vieux poêle au propane. Changement de sujet: as-tu donné suite à ton rendez-vous avec Lionel?

— Pas question! Il est trop tranquille, ce gars-là! Il ressemble à un curé. J'aime les hommes qui montrent leurs sentiments et qui ont pas peur de faire les premiers pas le premier soir d'une rencontre.

— Qu'est-ce que tu as à reprocher aux hommes respectables, toi? demanda Rose-May à son amie, d'un air sérieux.

— Ils sont gentils, mais ils m'attirent pas, conclut cette dernière en se levant pour déposer sa tasse sur le comptoir bleu de la cuisine. Tu sais, si je me suis pas encore réellement attachée à un gars, c'est parce que je peux pas m'imaginer en train de fricoter des pâtés chinois, des macaronis et moucher des petits nez morveux. Je veux pas d'enfants ni être condamnée à faire l'amour avec le même homme toute ma vie! glissa Flora en s'emparant d'une boîte pour la déposer dans sa voiture.

— T'es sérieuse? Même si je respecte tes choix, je peux pas m'empêcher de te conseiller un peu, ma chérie. Tu es mon amie et tu devrais pas courir après les hommes afin d'assouvir tes pulsions sexuelles, ici et là. Un jour, tu pourrais te retrouver dans des situations embarrassantes que tu pourrais regretter. Les hommes sont pas tous honnêtes, tu sais. Et pense à moi, j'aurais trop de peine de te voir souffrir!

— T'es trop fine, toi. Ça aurait pu marcher avec Bertrand, il était gentil…

— Qu'est-ce que tu veux dire? s'inquiéta Rose-May, qui s'affairait à baisser les toiles des fenêtres.

Après avoir placé les boîtes, les valises et les glacières dans la voiture de Flora, Rose-May retourna verrouiller la porte de sa maison et rejoignit son amie dans le stationnement, pour poursuivre la conversation.

— Je veux dire s'il avait pas été marié…

— Tu as couché avec un père de famille ? Est-ce que tu as pensé un seul instant à sa femme et ses enfants ? Est-ce que tu espérais qu'il quitte sa famille et qu'il s'éloigne de ses habitudes, juste pour être avec toi ? Cet homme s'était construit une vie, Flora ! Fais attention à pas tout faire basculer pour une simple histoire d'un soir !

— Il a pas d'enfants, Rose-May. Il m'a dit qu'il avait plus de relations sexuelles depuis des mois, affirma la femme aux mœurs légères, en fermant le coffre arrière de la voiture.

— OK. Au moins, il fera pas souffrir des petits. S'il aime ta compagnie, c'est peut-être qu'il est pas heureux avec sa femme, que la routine est ancrée dans leur couple depuis trop longtemps. Sois vigilante dans tes affaires de cœur, mon amie, je serais bien triste de te voir malheureuse. Pour l'instant, on part pour le VictoRose. Je veux qu'on s'amuse ce week-end. Allez !

Les années avaient passé et Flora savait qu'elle ne serait pas la femme d'un seul homme. À 18 ans, elle avait vécu une aventure avec un garçon bien élevé et attentionné, mais malheureusement, ses pulsions sexuelles s'étaient amplifiées et Donald n'avait pu suffire à ses demandes, malgré l'amour profond qu'il avait pour elle. S'était ensuivie une déchirante rupture et la jeune femme s'était promis de ne plus fréquenter aucun homme « à long terme ».

— T'as rien oublié, Rose-May ?

Flora pointait son regard vers la maison.

— Je pense pas… Oh non ! Frimousse ! Comment est-ce que j'ai pu laisser ma petite féline à l'intérieur ?

Rose-May retourna rapidement dans la maison et partit à la recherche de son animal de compagnie.

Décorée de lucarnes-pignons, la modeste demeure de Rose-May dégageait une atmosphère paisible et chaleureuse. Elle avait été érigée en clins de bois, coiffée d'un toit pointu à deux versants recouvert de « tôles baguettes » et percé d'une cheminée.

— Frimousse ! Où tu te caches ma belle ?

Rose-May grimpa à l'étage et découvrit la petite chatte dans la chambre d'amis meublée simplement d'un lit à deux places, d'une commode et de deux tables de nuit dépareillées. Frimousse était cachée sous la couverture, comme si elle craignait de laisser son petit nid de la rue du Couvent.

— On y va, Flora ! cria-t-elle à son amie en ressortant de la maison, avec sa féline dans les bras. Elle souriait tandis qu'elle prenait place du côté passager dans la vieille Ford 1955.

Pendant que la route défilait devant elle, Rose-May rêvassait aux doux moments passés au creux des bras de son prétendant qui était devenu son mari, jusqu'à ce que la mort de ce dernier les sépare. Le vide causé par le décès de Victor avait engendré pour elle des mois douloureux, que ce soit au moment de traverser les Fêtes sans lui, de voir passer la journée de son anniversaire, d'écouter leurs chansons préférées sans pouvoir se blottir l'un contre l'autre, de revoir les endroits cachés où ils se rejoignaient pour s'aimer tendrement. Après le départ de son mari, les membres de sa famille avaient représenté pour elle des étrangers. Elle n'arrivait pas à réaliser qu'elle ne reverrait jamais son époux. Elle n'avait pu vendre la maison ni donner ses vêtements à une œuvre de charité, mais elle s'était départie de la voiture, qu'elle ne pouvait utiliser, car elle ne possédait pas de permis de conduire. Certains matins, sa raison la guidait à l'église de Labelle, où elle demandait à Dieu de lui enlever la douleur profonde qui lui traversait le cœur lorsqu'elle posait son regard sur l'oreiller inoccupé de l'homme disparu. « Je le vois partout, même quand j'essaie de balayer son image de ma tête ! Je pourrai plus le toucher, sentir son odeur et me lever avant lui pour courir préparer son café… », songeait-elle avec grande tristesse. Ce geste que Victor avait apprécié seulement à deux reprises avant que le ciel ne le forçât à déménager de son paradis terrestre.

— Tu es dans la lune, ma belle !

— Oh, je pensais à Victor, aux beaux souvenirs… Je vois qu'on approche du chalet et je suis anxieuse. J'ai bien peur de le trouver dans un état lamentable. Chaque année, des surprises m'attendent. Comme le printemps passé, tu t'en souviens ? On avait dû stationner la voiture plus loin à cause des branches qui barraient le chemin en terre battue. Sans compter qu'on avait été obligées de marcher dans la boue pour nous retrouver avec des espadrilles complètement fichues.

— Arrête de t'en faire, Rose-May, tu dis ça chaque année. Mais, c'est vrai que le terrain aura besoin d'une bonne coupe et le bord de la grève sera sûrement envahi de déchets et de branches inutiles.

— J'y pense : je me souviens pas d'avoir barré le chalet l'automne dernier ! Je me rappelle être descendue sur la grève et, normalement, le dernier geste que je pose est de vérifier la porte. Il y a tellement de vols durant la saison hivernale, les meubles doivent tous avoir disparu !

Chapitre 2

Le VictoRose

À la radio, une chanson de Nana Mouskouri rappelait de nombreux souvenirs à Rose-May.

« *Tous les arbres sont en fleurs et la forêt a ces couleurs que tu aimais. Les pommiers roses sur fond bleu ont le parfum des jours heureux, rien n'a changé*[1]… »

— Nostalgie, Rose-May ? devina Flora, qui garait la voiture dans la venelle de gravier à droite du chalet, sous un gros chêne centenaire.

— Oui, mais que de doux moments passés auprès de mon Victor ! Tu imagines, Flo ? En août, ça fera 19 ans qu'il est mort.

— Tu as raison. Les années ont filé à la vitesse de l'éclair. Il était beau et gentil, ton Victor. Dommage que le Bon Dieu te l'ait pris si jeune… Vingt-deux ans, pardi ! On vient pas chercher un homme qui vient de se marier et qui désire fonder une famille, voyons ! Des fois, je me demande s'il y a une justice ici-bas !

— C'était son destin. Tu sais, je me pose sans arrêt la question : est-ce qu'il a été emporté par le courant ou bien

---

1 *Tous les arbres sont en fleurs*, chanson interprétée par Nana Mouskouri, 1968.

est-ce qu'il a essayé de s'agripper à la vie en empoignant une branche ou une roche ? Mon beau-père avait retrouvé son porte-monnaie avec ses cartes d'identité et sa casquette des Alouettes de Montréal sur les rives du lac. Il venait d'acheter ses billets pour assister à la rencontre du 25 août 1949 contre les Stampeders de Calgary au stade De Lorimier. Il est mort dix jours avant. Je suis convaincue que d'en haut, il a vu la partie du 26 novembre de cette année-là, quand son équipe préférée a gagné la Coupe Grey. Si les autorités avaient retrouvé sa dépouille pour que j'arrête d'attendre son retour et que je puisse enfin faire mon deuil, la vie aurait peut-être été plus simple pour moi. Mais bon, la vie continue et j'ai envie de la savourer chaque jour.

— Tu l'as attendu des années, ma cocotte… Mais je suis contente que tu prennes du bon temps pour toi maintenant. Il était temps !

— Je l'ai espéré durant cinq ans. Je me souviens de la journée de sa mort comme si c'était hier… Il faisait canicule. La veille, ses *chums* à la mine de graphite lui avaient demandé d'apporter son maillot de bain et quelques bouteilles de bière, pour qu'une fois leur journée de travail terminée, ils puissent se désaltérer et plonger dans le lac pour se rafraîchir. Victor savait pas nager. Aucun collègue s'est aperçu qu'il s'était éloigné de la berge. Comprends-tu pourquoi j'ai si peur de l'eau ? Depuis qu'il est mort, je suis pas montée une seule fois dans une chaloupe et j'ai pas nagé dans le lac.

— Oui, ma pauvre petite. Avant, tu étais la première à sauter à l'eau.

— Tu imagines comment ça a dû être terrifiant pour lui ? De s'être débattu comme un fou pour rester en vie ? Mon ancien beau-père, qui est médecin, m'a expliqué que quand une personne se noie, elle avale de l'eau et une partie de ce liquide se loge dans les poumons, ce qui provoque une asphyxie. Arrivé en phase terminale, celui qui lutte fait une syncope à cause de l'absence d'oxygène et c'est à cet instant qu'il décède.

— Si les hommes avaient fait preuve d'un semblant de sens des responsabilités, ils se seraient pas enivrés et auraient vu qu'un de leurs collègues manquait à l'appel. Est-ce qu'ils seraient arrivés à temps pour le sortir de l'eau et lui prodiguer les premiers soins? On le saura jamais. Maudite boisson!

— Les fouilles pour retrouver Victor ont duré des mois! Les résidents se présentaient au lac Vert au chant du coq pour reprendre les recherches là où elles avaient été interrompues la journée précédente. L'atmosphère était si lourde!

À cette époque, Rose-May avait parlé au lac Vert tous les jours en l'implorant de lui rendre le corps de son mari pour qu'elle puisse enfin vivre son deuil et suivre le chemin d'une nouvelle vie, qu'elle s'était refusée chaque jour. Tous les soirs, elle rentrait chez elle, épuisée, les yeux rougis et gonflés.

— Par chance, ta famille était auprès de toi, ma belle! reprit Flora avec douceur.

— Oh oui! Ma mère, Marthe ou Maria dormaient à la maison. Ça me faisait le plus grand bien quand on se retrouvait devant un café à évoquer les moments passés en famille où Victor les faisait rire. Certaines souriaient et d'autres pleuraient.

— Ouf! Regarde le terrain, Rose-May. Il a besoin d'amour, je pense, dit Flora en souriant.

— Ha! Ha! Vite, on a aussi un peu de travail à faire à l'intérieur du chalet!

Le VictoRose, d'allure rustique, dégageait une ambiance chaleureuse et confortable. VictoRose, c'est ainsi que le jeune couple avait baptisé le chalet du lac Labelle, lorsque Victor l'avait reçu de ses parents en guise de cadeau de mariage. Au début, le jeune amoureux voulait lui donner le nom de Rose-May, mais elle avait refusé, car selon elle, il devait porter les deux prénoms.

L'habitation rustique était située à quelques enjambées du plan d'eau, où on pouvait observer les poissons plonger dans l'eau claire. Avec les années, Rose-May avait paré le terrain boisé de grands peupliers, de conifères et de feuillus, et y avait installé des refuges pour les oiseaux, un foyer en pierres et une mini-plate-bande fleurie de tulipes multicolores.

Les deux amies entrèrent dans le chalet, les bras chargés de sacs et de boîtes.

— Tu vois ! La porte était bien verrouillée, et rien a été déplacé, la rassura Flora en déposant la boîte de livres sur la petite table d'appoint près du divan.

— Ouf ! s'exclama la propriétaire, soulagée. Je vais ranger la nourriture dans le frigo, puis démarrer le propane et je vais mettre de l'eau à chauffer pour laver les vitres. Pendant ce temps-là, je vais balayer le plancher et le nettoyer.

— As-tu entendu une voiture arriver, cocotte ?

Flora se rendit à la fenêtre pour écarter le rideau de teintes multicolores.

— Bien oui ! Ça doit être mon frère Normand avec sa femme Lorraine. Ils étaient au courant qu'on venait aujourd'hui.

Flora sortit et descendit les deux marches de la véranda. Puis, elle se retourna en interpellant son amie :

— C'est ton père !

— Déjà ! s'écria-t-elle en ouvrant la porte. Il m'a offert son aide ce matin pour ouvrir le chalet, quand il est venu me porter de la nourriture et des couvertures, mais je pensais pas le voir arriver si vite ! Je viens te rejoindre, je dois sortir Frimousse de sa cage. Elle doit avoir hâte de courir dans les bois.

— Bonjour, monsieur Cédilotte ! cria Flora, souriante, alors qu'elle marchait vers lui en sautillant comme une fillette.

— Bonjour, ma belle Flora ! lança gaiement Urgel, qui descendait de sa voiture. Comment tu vas ? Ça fait un bout, hein ?

— Je vais très bien. Vous avez l'air en pleine forme, vous !

— C'est pas si pire. Y a des journées plus dures que d'autres. Es-tu clouée sur la galerie, ma fille ? lui cria son père, en se dirigeant vers l'arrière de sa voiture.

— J'arrive, papa !

Le père de Rose-May ouvrit le coffre arrière de sa voiture, ficelé d'une corde, et en sortit la tondeuse à gazon, la pioche, le râteau et le sécateur. Urgel avait 60 ans et il les assumait difficilement depuis qu'il souffrait de rhumatismes. Sa femme Rita lui suggérait constamment de faire de l'exercice pour être en meilleure forme physique, mais il remettait toujours le début d'un programme d'entraînement à plus tard. Son corps s'affaiblissait avec les années et son système vasculaire n'était plus ce qu'il était lorsqu'il avait 20 ans. Il répétait souvent avant de s'endormir : « Ça y est ! Demain matin, je vais prendre une marche pour aller chercher mon journal, au lieu de prendre mon char. En revenant, je vais sortir le vieux vélo du hangar pis je vais pédaler une bonne demi-heure avant le déjeuner. » Or, il remettait toujours ces sages résolutions au lendemain, car il craignait de tomber en raison de ses pertes d'équilibre. « Les exercices que vous m'avez donné à faire pour guérir mes douleurs dorsales, docteur, ben, ça me convient pas pantoute ! avait-il indiqué à son médecin. Maudite scoliose, de mes deux ! J'ai la colonne faite comme un S, bâtard ! Ça se redresse pas comme on veut, hein ? »

Rose-May les rejoignit, ravie de revoir son père si tôt.

— Je t'attendais pas avant le milieu de l'après-midi, papa ! Viens, je te prépare un café. Est-ce que tu préfères une boisson gazeuse ? J'ai du Coke et de l'orangeade Crush.

— C'est bien aimable, mais plus tard, ma fille. J'ai apporté ma tondeuse à gazon pis mes ciseaux pour nettoyer ton terrain qui en a ben besoin.

— OK. Mais vas-y à ton rythme. Je voudrais pas que tu te fasses sermonner par maman à cause d'un lumbago.

— Inquiète-toi pas ! Je ferai attention pour pas aggraver mon mal de dos. J'ai averti ta mère que je rentrerais juste dans la veillée. Tu vas pas lever le nez sur l'aide que je t'offre, quand même ?

— T'as bien raison, je serais sotte de pas en profiter, accepta avec joie sa fille.

— Au travail, maintenant ! Pendant que je redonnerai une petite beauté au terrain, vous aurez le temps de laver et de tout ranger, ici dedans.

À l'heure du souper, Rose-May convia son père à la table pour le repas, composé d'une salade, de crudités et d'un pâté à la viande.

— Miam, ça sent le temps des Fêtes !

— Viens t'asseoir à côté de Flora, papa, je vais te servir. Merci infiniment pour tout le travail que tu as fait ! Le terrain est impeccable !

— Ça me fait ben plaisir, ma fille !

En regardant à nouveau la table bien garnie, le père de Rose-May s'exclama :

— Comment tu veux que je surveille mon poids avec tout ce bon manger sur la table ? C'est ça qui s'est passé avec ta mère quand on s'est mariés : elle faisait trop ben la cuisine. Aujourd'hui, la ceinture me serre la taille à longueur de journée, bâtard !

Les deux amies s'esclaffèrent.

Après s'être installé sur la chaise devant la table en bois ovale, Urgel se retrouva sur le dos, les quatre fers en l'air.

— Sainte pivoine ! Es-tu correct, papa ?

Rose-May s'agenouilla et demanda l'aide de sa copine pour relever son paternel.

— Force pas, on va t'aider !

— Laissez faire, je peux me remettre debout tout seul !

— Comme tu veux, répondit sa fille en reculant. Je suis désolée, je savais pas que la chaise était brisée.

— C'est ben correct, Rose-May. Bon, on mange-tu là ? J'ai une faim de loup !

Urgel avait dégusté le repas avec appétit et avait volontiers accepté une pointe de tarte aux pommes, garnie de crème fraîche.

En enrobant sa tasse de ses mains délicates pour tenir le thé aromatique au chaud, Flora poursuivit :

— Si on allumait un feu, maintenant ? Vous partez pas tout de suite, monsieur Cédilotte ?

— Pas de danger, Flora ! J'aime trop m'installer devant les flammes pis écouter les bruits de la campagne, ça me rappelle mon jeune temps.

Rose-May s'empara des assiettes vides pour les déposer dans un plat rempli d'eau chaude savonneuse et invita son père et son amie à sortir sous le ciel miroitant.

∽

Le ciel s'assombrissait et un voile blanc dansait sur le lac endormi.

Après quelques heures passées autour du feu, Rose-May s'exclama :

— On devrait signer une pétition pour que ce soit l'été à l'année ! lança la jeune femme, en scrutant les étoiles éclairant le firmament. Vous savez, la venue du printemps représente pour moi un grand cadeau. Je suis toujours impatiente de revenir dans mon coin de paradis. C'est si agréable d'écouter crépiter le bois et d'entendre les oiseaux chanter à nouveau. J'ai tellement hâte de voir toute ma famille réunie, demain ! Papa, tu apportes pas tes outils de jardinage, hein ? Le terrain est nettoyé et il reste juste des petites tâches à faire à l'intérieur du chalet. Tu viens avec maman pour passer la journée en famille et te reposer. Tu feras rien, seulement te laisser servir et t'amuser. Papa ? insista sa fille, assise sur une chaise en toile, près des flammes entremêlées de couleurs chaudes.

Flora, qui refermait le sac de guimauves, chuchota à l'oreille de Rose-May:

— Hi! Hi! Il roupille.

— Papa, tu dors? l'interpella doucement sa fille.

— Réveille-le pas, Rose-May. Il a l'air si bien.

— J'ai pas le choix! Maman va s'inquiéter de son retard sinon.

— Tiens! Il ronfle, maintenant, murmura Flora.

Rose-May se leva et caressa doucement son bras.

— Oh! Excusez-moi! C'est si reposant, je pense que je me suis endormi, reconnut le paternel en s'éveillant.

— Oui, tu dormais profondément, papa.

Urgel se leva avec difficulté et alla ranger ses outils dans le coffre arrière de sa voiture. Le sexagénaire trébucha sur les rondins de bouleau cordés près de sa chaise.

— Rien qu'à regarder, on voit ben qu'à la noirceur, on voit rien pantoute, bâtard! En tout cas, je vais voir demain si je suis pas trop courbaturé. Si oui, j'ai ben peur de pas être capable de revenir pour le souper familial. Ouch!

— Papa! Tu peux pas me faire ça! Prends tout ce qu'il faut comme antidouleur en arrivant à la maison. Il faut absolument que tu sois en forme demain.

— On verra ben. Bon, je vais y aller. Merci pour le souper, c'était ben bon, les filles.

— Soyez prudent sur la route, monsieur Cédilotte, l'enjoignit Flora en prenant son bras pour l'accompagner jusqu'à sa voiture.

— Merci encore, papa! Je t'aime.

— Moi aussi, ma fille!

∽

Le lendemain matin, le lac stagnant brillait sous le soleil naissant et le chalet auréolé d'un voile transparent paraissait endormi depuis des années. Une brise s'était levée durant la nuit et faisait danser les tulipes saupoudrées de perles translucides. Rose-May s'était levée avec un mal de dos. « Ouf ! Le lit est moins confortable que celui de la rue du Couvent. Je vais faire une petite attisée, l'humidité nous transperce la peau, songea la propriétaire des lieux. J'ai l'impression que mes côtes sont faites sur le long, tellement j'ai de la difficulté à me pencher ! Allez ! Secoue tes plumes et va chercher les bûches, Rose-May ! »

Alors qu'elle s'affairait dans la cuisine, son amie apparut dans la pièce en bâillant.

— Bonjour !

Flora était vêtue d'un vieux chandail de laine à carreaux et d'un pantalon en coton molletonné gris.

— Allo, Flo. As-tu bien dormi ?

— Comme ci, comme ça. J'ai entendu des sons bizarres cette nuit. J'espérais que roupiller au chalet me ferait le plus grand bien.

— Tu vas t'habituer à ces bruits. Moi, je dors comme une bûche. Il fait si noir !

— Pour la noirceur, je te l'accorde. Mais je t'avoue que j'ai commencé à avoir froid après minuit. J'ai essayé de chercher mon sac de couchage et je me suis cogné l'orteil sur le coin du bureau, misère !

— Je t'avais laissé une deuxième catalogne au pied de ton lit.

— Je sais bien, mais mon sac de couchage est plus chaud.

— On va profiter d'une douce chaleur en restant ici une vingtaine de minutes, si je peux mettre cette sacrée bûche dans le poêle ! Papa m'a dit les avoir fendues, mais elles sont pas mal grosses ! Quand mon frère arrivera, je lui demanderai de les couper encore, indiqua Rose-May, en se dirigeant vers le comptoir pour casser les œufs au-dessus du cul-de-poule.

— Pourquoi tu souris comme ça, Rose-May ?

Woodstock, 1969. Flora disparaît après une querelle avec sa meilleure amie, Rose-May. Cette dernière s'en remet difficilement : à la suite de la mort de son propre mari, la jeune femme traverse une longue période de deuil et ne peut se résoudre à perdre un autre proche. Heureusement, la présence de Jacques, son nouvel amoureux, est rassurante et bienveillante.

Les deux amies se retrouveront, quelques mois plus tard, à l'institut psychiatrique de Verdun. C'est le père de Flora qui a l'odieuse tâche d'aviser Rose-May que sa fille y est désormais internée; il la renie d'ailleurs pour un acte qu'elle a commis dans un moment de délire. Désormais seule à veiller sur Flora, Rose-May découvre avec horreur les ravages laissés par le sexe et la drogue, et constate que l'inconduite de Flora teintera désormais sa propre vie, ainsi que celle de sa famille et de son beau Jacques.

En 1871, dans le village de Saint-Joseph-de-Soulanges, Jacob et Catherine Gabrion, de simples cultivateurs, élèvent leur famille du mieux qu'ils le peuvent. Honnêtes et travaillants, les Gabrion tentent d'inculquer de bonnes valeurs ainsi que la joie de vivre à leurs deux fils, Étienne et Jonas.

Le 1er janvier 1872, Catherine donne naissance à leur troisième enfant : la petite Alicia. L'enfant est atteinte d'une malformation à la tête, ce qui bouleversera la vie du petit clan. La vie d'Alicia en sera une d'adversité. Elle devra abandonner son rêve de devenir enseignante pour soutenir ses proches et se retrouvera plutôt, à l'âge de 15 ans, au service d'une famille riche dont la maîtresse de maison est méprisante. À mesure qu'elle vieillit, complexée par son anomalie pourtant discrète, Alicia ne se croit pas digne d'amour. Mais le destin lui réserve bien des surprises…

1962, Sorel. La ville est dynamique et prospère grâce aux usines qui percent le ciel et font vivre les familles de la région. Tout va pour le mieux sur la rue Royale où habite la famille Delormes. Roger, fidèle et travaillant, aime sa femme comme aux premiers jours de son mariage. Angèle, quant à elle, est une mère juste et tendre.

Sur leur union solide comme le roc, cependant, les destins moins heureux des gens du voisinage viennent se fracasser: une fillette devient orpheline à six ans; une femme est chassée de sa maison par un mari ivrogne et volage; une grand-mère voyage jusqu'en Ontario pour se recueillir, pour la toute première fois, sur la tombe de son mari…

Que ce soit dans la cuisine familiale au son des Beatles ou de la regrettée Édith Piaf ou au chalet en bordure du Chenal du Moine, des liens d'affection et de complicité se tissent entre des personnages généreux, solidaires et authentiques.

LUCY-FRANCE
DUTREMBLE
La vieille
laide
- 1 -

LUCY-FRANCE
DUTREMBLE
La vieille
laide
- 2 -
Guy Saint-Jean

Achevé d'imprimer chez
Imprimerie Norecob
en mai 2018